D1592757

Yvon Dallaire
Psychologue-Sexologue

Pour que
le sexe
ne meure pas
La sexualité après 40 ans

Les Éditions
OPTION *Santé*

Données de catalogue avant publication (Canada)

Dallaire, Yvon, 1947-
Pour que le sexe ne meure pas, La sexualité après 40 ans
Comprend des références bibliographiques
ISBN 2-9804174-9-1

1. Personnes d'âge moyen — Comportement sexuel. 2. Éducation
sexuelle. 3. Sexualité (Psychologie) 4. Troubles sexuels.
I. Titre

HQ31.D34 1999   306.7'084'4   C99-900463-8

Les Éditions Option Santé Enr.
675, Marguerite Bourgeoys, Québec (Québec) Canada G1S 3V8
Téléphone : 1 (418) 687-0245 ; Sans frais : 1 (800) 473-5215
Télécopieur : 1 (418) 687-1166 ; Courriel : opsante@mlink.net
Site Internet : www.mlink.net/~opsante

Infographie : Christian Chalifour
Illustrations : Caroline Bédard
Photogravure et impression : AGMV Marquis
Photographie de l'auteur : Jean-Yves Michaud, Tram-imprimé

Dépôt légal : 2e trimestre 1999
Bibliothèque nationale du Québec
Bibliothèque nationale du Canada
ISBN 2-9804174-9-1

Distribution Les Messagerie Agence de Distribution Populaire
1261-A, rue Shearer, Montréal (Québec) Canada H3K 3G4
Téléphone : 1 (514) 523-1182 ; Sans frais : 1 (800) 361-4806

D.G. Diffusion
6, rue Jeanbernat, 31000 Toulouse, France
Téléphone : 35.61.62.70.62

Je dédie ce livre
à mes parents,
Aline et Jean-Charles,
sans lesquels je ne serais pas
qui je suis.

Table des matières

Première partie:
Les changements physiologiques et leurs répercussions psychologiques

Deuxième partie
Devenir meilleur(e) amant(e) après 40 ans

Troisième partie
Surmonter les difficultés

Remerciements

Mes premiers remerciements vont à Jean-Pierre Élias, de la maison de distribution ADP, qui m'a encouragé, il y a deux ans, à écrire un livre sur la sexualité après 40 ans en me disant qu'il y avait là un vide à combler. Connaissant son expertise dans le domaine du livre, je me suis attelé à la tâche et je suis heureux de lui dire aujourd'hui : «Mission accomplie».

Merci à Renée Bérubé, ma compagne de tous les jours, à qui je vole beaucoup de temps pour pouvoir m'isoler afin de rendre possibles mes projets d'écriture : «Merci pour ta patience et ta compréhension».

Merci à Isabelle Gagnon, mon indéfectible bras droit qui me seconde dans mes activités d'auteur, de conférencier et de psychologue. Merci à Christian Chalifour, graphiste aux idées toujours bienvenues. Merci à Sylvette Deguin pour toutes les fautes évitées et les nombreuses suggestions grammaticales.

Nombreux mercis à tous ceux et celles qui, en m'invitant à investiguer leur sexualité, me permettent d'en apprendre davantage afin d'en écrire davantage. Merci à tous et toutes.

Merci à madame Laure Vaugeois de la librairie Vaugeois de Sillery et monsieur Peter Vaughn de la Maison Anglaise de Sainte-Foy pour l'aide apportée à la précision de la médiagraphie.

Merci à l'avance à tous ceux et celles, journalistes, recherchistes, animateurs, libraires, qui m'aideront à propager auprès du grand public les informations contenues dans ce livre.

La raison
de ce livre

Robert[1], 62 ans, vint consulter pour confirmer le diagnostic de son médecin, à savoir qu'à son âge, il ferait mieux de dire adieu à sa sexualité. Il avait parlé à son médecin des difficultés d'érection qui avaient commencé à se manifester une dizaine d'années auparavant et du fait que, depuis quelques mois, il n'avait pas réussi à obtenir une érection suffisante pour lui permettre d'avoir une relation sexuelle « normale » avec sa nouvelle partenaire pourtant fort désirable.

Après avoir fait le tour de son dossier médical et sans rien avoir trouvé qui pouvait justifier le diagnostic de son médecin (problème prostatique, baisse drastique de son taux de testostérone, hypertension, diabète, trouble cardiaque...), je lui confirmai qu'étant donné qu'il n'existait aucune cause organique, il n'y avait aucune raison pour laquelle il ne pourrait pas continuer d'avoir des relations sexuelles satisfaisantes. J'interprétai même le diagnostic de son médecin comme la manifestation de l'ignorance de ce dernier sur les réalités sexuelles. Soulagé, encouragé et encadré par un contexte thérapeutique, Robert put, trois semaines et trois entrevues plus tard, vivre une relation sexuelle complète. Il retrouva le sourire et une vie sexuelle active.

La thérapie sexuelle n'est pas toujours aussi expéditive, mais le cas de Robert illustre celui de nombreux clients que j'ai l'occasion de recevoir dans ma pratique en psychothérapie sexuelle. Tous ont le même dénominateur commun : l'ignorance des changements normaux dus à l'âge. Et, comme conséquence, tous se retrouvent dans le même cercle vicieux : ne sachant pas ce qui les attend, la plus petite modification de leur comportement sexuel habituel provoque la panique qui, à son tour, rend plus difficile la performance sexuelle. Chaque échec augmente la peur de l'échec et, comme tous les psychologues le savent bien, cette anxiété de performance devient la principale source des difficultés d'ordre sexuel.

J'ai écrit ce livre pour les hommes et les femmes qui, tout comme Robert, craignent de voir disparaître leur sexualité après 40, 50 ou 60 ans. Ces hommes et ces femmes, souvent associés à la génération des «Baby Boomers»[2], ont généralement reçu peu d'informations sur la sexualité lorsqu'ils étaient jeunes et, si éducation sexuelle il y a eu, celle-ci s'inscrivait dans un contexte judéo-chrétien culpabilisant tout ce qui était associé au sexe. Les plus vieux parmi eux ont donc été élevés dans la crainte de l'enfer et ont vécu leur sexualité de façon isolée et/ou marginalisée. J'ai écrit ce livre pour les 20 % d'hommes qui, passé 40 ans, ont de la difficulté à obtenir une érection et les 75 % des hommes de plus de 80 ans qui n'y parviennent plus. J'ai évidemment aussi écrit ce livre pour leurs partenaires afin qu'elles puissent savoir que la ménopause ne constitue pas le début de la fin de leur vie sexuelle.

Le contexte judéo-chrétien a été remplacé, lors de la révolution sexuelle du mouvement hippie des années 60 et 70, par un contexte de «sexualité médiatisée» où, pour augmenter les cotes d'écoute, on met, depuis les années 80, l'accent sur le sensationnel et non sur la normalité du comportement sexuel. On le sait, le bonheur et la normalité vendent mal. Présenter les prouesses sexuelles de quelques individus, les trucs pour devenir un(e) super amant(e), les techniques pour multiplier les orgasmes et s'envoyer en l'air jusqu'au septième ciel... attire davantage l'attention des lecteurs, auditeurs et téléspectateurs que la transmission de données scientifiques sur la sexualité réelle. L'obsession de la performance sexuelle a remplacé l'obsession de l'amour idéal et spirituel des années 50.

Cette obsession de la performance sexuelle a développé la crainte de ne pas être à la hauteur, de ne pas être normal, de ne plus pouvoir fonctionner selon les attentes de nos partenaires et a ainsi créé de nouvelles difficultés d'ordre sexuel, particulièrement chez les personnes plus âgées, moins informées des réalités sexuelles. L'objectif de ce livre est de démontrer que l'homme et la femme vieillissants peuvent découvrir de nouveaux aspects de leur sexualité s'ils comprennent et acceptent les changements prévisibles, graduels et inévitables dus à l'âge et s'ils cessent de vouloir correspondre au credo de la performance sexuelle médiatisée. Les personnes âgées peuvent même devenir de meilleurs amants et continuer de jouir de leur sexualité jusqu'à leur plus grand âge, tout en restant en contact avec leur réalité sexuelle.

À la demande de mon diffuseur[3] qui avait constaté que très peu de livres existaient sur la sexualité après 40 ans, j'ai fait le survol de la littérature médicale et psychologique sur le sujet. Je vous communique dans ce livre les données les plus récentes concernant les changements physiologiques et les conséquences psychologiques normaux et prévisibles concernant l'évolution de la sexualité après 40 ans. J'y présente aussi différents moyens, non pas pour devenir un superman ou une superwoman du sexe, mais tout simplement pour entretenir votre libido[4] et ralentir les effets de l'âge sur votre sexualité.

Il faut dire, à la décharge du médecin de Robert et des autres intervenants du domaine de la santé, que la science sexologique est relativement jeune. Ce n'est qu'à la fin des années 40 que, grâce à Kinsey et ses collaborateurs, nous avons commencé à colliger des données objectives sur le comportement sexuel des humains et qu'au milieu des années 60 que le médecin William Masters et la psychologue Virginia Johnson nous informaient du fonctionnement sexuel humain. La sexologie n'existe en fait que depuis à peine un quart de siècle, mais depuis ses débuts, elle progresse à grands pas.

Socialement parlant, notre société associe la sexualité à la beauté, à la jeunesse et aux années de reproduction. Pendant les quinze années où j'ai enseigné la psychologie du comportement sexuel au Collège de Sainte-Foy, j'ai toujours été impressionné par la réaction de surprise que mes étudiants et étudiantes de 18-20 ans manifestaient lorsque j'abordais le thème «la sexualité de la personne âgée», c'est-à-dire la sexualité de leurs propres parents, soit 45 ans et plus. Plusieurs n'imaginaient pas leurs parents en train de faire l'amour et une grande majorité n'avait jamais eu conscience de leur sexualité. Pourtant, vous le savez, vous qui me lisez, que le désir sexuel et le comportement sexuel continuent de prendre une grande part de notre vie, même après 50, 60 ou 70 ans. Vous n'avez certainement pas le goût de voir disparaître toute la chaleur humaine, l'intimité et le plaisir que vous procure votre sexualité.

Toutefois, passé 40 ans et c'est tant mieux pour plusieurs, votre sexualité ne peut plus continuer à fonctionner comme à 20 ans. Des changements prévisibles et graduels surviennent : votre fréquence de rapports sexuels a probablement diminué ; vos érections et vos lubrifications ne sont plus aussi rapides ; vos orgasmes sont probablement moins intenses ; vous vivez de grands chambardements hormonaux… mais vous continuez, pour la majorité d'entre vous, à ressentir du désir et à vouloir faire l'amour régulièrement.

Pour éviter que tous ces changements ne viennent perturber votre vie sexuelle, vous aurez besoin de connaissances, vous devrez vous adapter à ces changements, vous devrez les comprendre et les accepter et, plus encore qu'avant, vous devrez innover et faire preuve d'imagination afin de conserver une sexualité épanouissante. Pour éviter que la routine ne s'installe et que votre libido ne disparaisse, vous devrez consacrer du temps et des efforts à votre épanouissement sexuel. Vous le savez déjà sans doute, vous ne pouvez plus compter seulement sur la puissance sexuelle de votre corps ; vous devez parfois la réveiller. Tout comme vous devez maintenant faire de l'exercice physique et mieux surveiller votre alimentation pour conserver votre santé, vous devrez aussi entretenir votre sexualité.

Ce livre vous apprendra beaucoup sur votre propre sexualité et sur la sexualité de votre partenaire. Ce livre, je l'espère, vous fera découvrir les merveilles de la sexualité adulte et, c'est mon souhait, vous encouragera à expérimenter de nouvelles façons d'exprimer votre sexualité. Ce livre, tout en tenant compte de certaines limites, vous aidera à profiter d'une vie sexuelle active même si vous souffrez d'hypertension, de troubles cardiaques, de diabète, d'arthrite ou de cancer. Même si vous prenez des médicaments et que ceux-ci affectent votre sexualité, il serait trop bête, comme disent les Américains, de « giving up », de démissionner et de vous résigner à une vie asexuée.

Si, parfois, ce livre vous choque, tant mieux. Cela signifie que vous pouvez encore découvrir des choses, vivre de nouvelles expériences et que votre attitude « victorienne » peut encore changer. Au lieu de condamner ce qui y est écrit, utilisez vos réactions pour en apprendre un peu plus sur vous-même, sur votre sexualité et celle de votre partenaire.

Si Robert, et bien d'autres à sa suite, avait fait confiance à son médecin, il aurait diminué la qualité des années qui lui restent à vivre. Peut-être, à cause de la perte de sa fonction érotique, aurait-il même rapproché l'heure fatidique de sa mort ? Heureusement que le désir sexuel de Robert fut plus fort que l'avis de son médecin (même si cet avis fut probablement donné de bonne foi et en fonction des connaissances sexuelles de ce dernier) et qu'il rechercha un deuxième avis.

Le problème, c'est que la majorité des intervenants en santé (médecins, psychologues, infirmières, travailleurs sociaux…) n'est pas en mesure de conseiller adéquatement leurs clients dans leur vie sexuelle ou de les accompagner dans une thérapie sexuelle tout simplement parce que, dans le cursus de leur formation, très peu d'heures, lorsqu'il y en a, sont consacrées à la fonction érotique. Habituellement, leur formation se limite à l'anatomie et à la physiologie du système reproducteur et à leurs manifestations pathologiques. Par contre, il existe des sexologues thérapeutes[5], des psychologues, des médecins, des travailleurs sociaux et des infirmières qui, eux, après des années d'études supplémentaires, sont en mesure de répondre à vos questions et de vous aider à surmonter vos difficultés d'ordre sexuel.

À cause de la complexité de la fonction sexuelle et des dimensions à la fois organiques, psychologiques et même sociologiques, les thérapeutes sexuels travaillent généralement en collaboration avec des gynécologues, des urologues, des relaxologues (massothérapeutes et autres). Lorsque la cause est d'ordre organique, les interventions doivent se faire au niveau physique. Lorsque la cause organique a été exclue par un examen poussé des organes génitaux et du niveau hormonal, la psychothérapie sexuelle peut commencer. Assurez-vous donc que votre thérapeute sexuel, si vous devez y faire appel, travaille en équipe.

Les changements physiologiques et leurs répercussions psychologiques

1

La sexualité de l'homme de 40 ans et plus

1.1 Jacques et Annie

La première fois que Jacques vint consulter, il paraissait très embarrassé. De profession libérale, il avait jusqu'à maintenant très bien réussi tout ce qu'il avait entrepris. C'est sa femme, Annie, qui avait pris rendez-vous pour lui et il ne serait certainement pas venu si celle-ci ne l'avait pas menacé de divorcer. Jacques avait alors 52 ans et il paraissait vraiment mal à l'aise d'admettre qu'il avait besoin d'aide dans sa vie sexuelle et sa vie amoureuse.

Il se croyait «impuissant» et avait cessé tout rapprochement sexuel de peur de ne plus être à la hauteur. Ses dernières tentatives n'avaient été que des échecs : ou bien il n'avait pu avoir d'érection, ou bien il perdait ses érections au moment de la pénétration, ou bien ses érections, comme il le disait, «n'étaient plus ce qu'elles étaient».

> «Avant, disait-il, je n'avais qu'à penser à faire l'amour et j'étais immédiatement en érection. J'avais hâte de rentrer du bureau pour faire l'amour avec Annie. Maintenant, même la vision de la plus belle fille ne parvient pas à me mettre en appétit.»

On voit bien que ce que Jacques qualifie d'impuissance n'est en fait que la perte de la «spontanéité» de ses érections, perte tout à fait prévisible au fur et à mesure que l'homme vieillit. L'entrevue révéla aussi, en plus de ses pertes d'érections, que parfois, même s'il réussissait à conserver ses érections pendant le coït, il ne parvenait pas à orgasmer. Ce qui, là aussi, est tout à fait prévisible et normal chez l'homme de 40 ans et plus.

L'entrevue[1] avec Annie, elle aussi de profession libérale, m'apprit que celle-ci était préoccupée par les déboires de Jacques et que, pour lui éviter l'humiliation de ces échecs, elle était devenue de moins en moins active lors des relations sexuelles avec lui. En fait, Annie avait, par le passé, très peu caressé les organes génitaux de Jacques, ses érections étant tellement rapides et intenses qu'il avait une légère propension à éjaculer très rapidement lorsqu'elle les manipulait.

Tous les deux en étaient arrivés à éviter le plus possible les occasions de rapprochements sexuels. Et tous deux imputaient aux difficultés érectiles de Jacques la cause de leur éloignement et de la détérioration de leur vie relationnelle, malgré leurs succès professionnels respectifs. Jacques s'était presque fait à l'idée d'avoir terminé sa vie sexuelle; mais Annie, sa cadette de 8 ans et donc au sommet de sa vie sexuelle, ne s'était pas faite à celle de ne plus jamais faire l'amour. C'est pourquoi elle avait exercé des pressions pour que Jacques consulte. Heureusement!

J'ai souvent eu l'occasion de rencontrer des couples qui, malgré leur bagage intellectuel, étaient complètement ignorants des réalités sexuelles. Parce qu'il s'agit bien d'ignorance ici, et seulement d'ignorance. Jacques et Annie croyaient qu'ils pourraient continuer à faire l'amour comme dans leur jeune temps, même s'ils avaient accepté que la fréquence de leurs rapports puisse diminuer avec le temps. Tous les deux croyaient que le corps de Jacques continuerait toujours à fonctionner sexuellement de la même façon tout au long de sa vie. Ce qui est impossible.

Les changements physiques, dont vous trouverez la description un peu plus loin, peuvent parfois être inquiétants, provoquer des réactions émotives et psychologiques intenses ou modifier le comportement sexuel de l'un ou l'autre des membres du couple. Mais, si ces changements sont bien compris et acceptés, ils ne susciteront pas autant d'anxiété et de difficultés comme dans le cas de Jacques et Annie. Ils pourraient même, au contraire, donner un nouvel élan à votre vie sexuelle si vous apprenez à en tenir compte dans vos ébats amoureux. Les chapitres qui suivent vous apprendront comment vous adapter aux changements tout à fait prévisibles de vos organes génitaux.

En vieillissant, votre pénis cessera probablement de fonctionner comme à 20 ans. Il ne viendra pas en érection au moment approprié ou au moment désiré; il peut parfois réagir d'une façon inattendue. Il se peut que vos érections ne soient plus aussi fermes qu'avant. L'erreur serait de croire que, parce que vous ne « contrôlez » plus votre pénis, votre vie sexuelle est finie. Au contraire, je le répète, l'intégration de ces changements pourrait même donner un nouvel élan à votre vie sexuelle.

Il est évident que ces modifications peuvent vous atteindre dans votre estime de vous-même, surtout si vous avez toujours associé votre performance sexuelle à votre virilité. Il se peut que votre partenaire interprète vos difficultés érectiles comme un rejet, surtout s'ils surviennent au moment où elle se préoccupe des modifications de son corps dues à la ménopause. Ces changements ne peuvent pas ne pas influencer votre vie sexuelle et votre vie de couple.

Vous avez probablement déjà entendu la boutade suivante :

Trois hommes d'âges différents discutent de leurs performances sexuelles. Le jeune homme de 20 ans dit : « Moi, je bande quand je veux ! » L'homme de 40 ans dit : « Moi, je bande quand je peux ! » L'homme de 60 ans dit : « Bande de chanceux ! »

Si vous avez souvent entendu ce genre de racontars sur la sexualité du 2e et du 3e âge, il est très compréhensible que vous ayez peur de perdre votre fonction sexuelle à la moindre défaillance. Mais rien n'est plus faux.

Allez-vous cesser de marcher parce que vous vous êtes rendu compte qu'en vieillissant vous courez moins vite ? Non, n'est-ce pas ? Eh bien, il en est de même pour la sexualité. Ce n'est pas parce que vos réactions sont moins rapides que vous devez cesser de fonctionner sexuellement. Vous courez moins vite ? Profitez-en pour mieux admirer le paysage ! Votre génitalité est moins intense ? Découvrez les plaisirs subtils de la sensualité !

Ce pourrait même être le contraire. Si vous n'avez jamais fait d'exercice physique étant plus jeune, mais que vous vous y êtes mis à l'âge de 45 ans, il se peut que vous vous sentiez actuellement plus en forme qu'à 25 ans. Il pourrait en être de même pour votre vie sexuelle. Si vous avez toujours consommé votre vie sexuelle comme du fast-food, les changements graduels, prévisibles et normaux du vieillissement pourraient peut-être vous faire découvrir la véritable gastronomie sexuelle. En tout cas, c'est ce que disent les femmes de 25-30 ans qui préfèrent les hommes de 45 ans parce qu'ils ont atteint une certaine maturité sexuelle, sont moins obsédés par la « chose » ou la nécessité d'orgasmer à tout coup et ont développé une plus grande sensualité et sensibilité.

Le tout n'est finalement qu'une question d'ouverture d'esprit et de connaissances.

• • • • •

Avant d'analyser en détail les divers changements dus à l'âge, examinons le cycle de réactions sexuelles chez l'homme tel qu'illustré dans le tableau suivant :

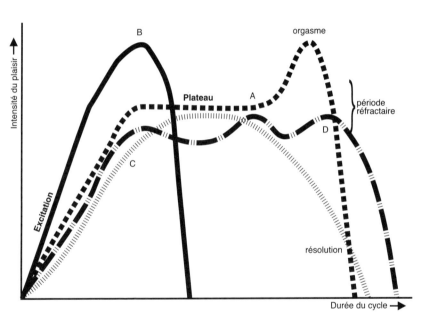

Figure 1. Courbe de la réponse sexuelle chez l'homme avec quelques variations.

Le cycle des réponses sexuelles se subdivise en quatre étapes :

1. La montée de l'excitation qui peut être plus ou moins rapide ;
2. La phase de plateau qui peut être plus ou moins longue ;
3. L'orgasme qui peut être plus ou moins intense ;
4. La phase de résolution qui peut être plus ou moins lente.

De plus, existe chez l'homme une période dite réfractaire, période pendant laquelle, même sous l'effet d'une stimulation adéquate, ses organes génitaux ne réagissent plus ; sauf exception, cette période est absente chez la femme. Ces phases peuvent se suivre selon différents scénarios :

A : La courbe la plus fréquente ;
B : Excitation, orgasme et résolution rapides, sans réelle phase de plateau ;
C : Montée de l'excitation suivie d'une lente résolution sans présence d'orgasme ;
D : Montée de l'excitation et plateau en vagues sans orgasme.

Comme nous pourrons le constater dans les pages qui suivent, la courbe A se retrouve fréquemment chez le jeune homme tandis que les courbes C et D sont plus souvent le lot de l'homme âgé.

Trois catégories de modifications génitales sont susceptibles de se produire chez l'homme : la première concerne sa capacité érectile, la seconde affecte sa capacité orgasmique et la troisième touche l'ensemble de son expérience sexuelle. Toutes ces modifications viennent affecter le cycle des réponses sexuelles.

1.2 Les changements au niveau de l'érection

1. **La spontanéité des érections.** Le premier changement concerne la spontanéité de vos érections. À 18 ans, au moment de votre plus grande puissance sexuelle, un fantasme, la perception de la naissance d'un sein, l'idée de regarder le magazine Playboy… vous donnaient une érection du tonnerre et vous sentiez que vous ne pouviez faire autrement que de décharger cette tension tellement elle était intense.

Passé 40 ans, cette spontanéité diminue graduellement. La vision d'un corps de femme nue ou même, autour de la soixantaine, la vision d'une scène érotique n'est plus suffisante, à elle seule, pour provoquer immédiatement votre érection. Le temps de réaction de votre érection, premier signe d'excitation sexuelle chez l'homme, augmente au fur et à mesure que vous vieillissez. D'à peine deux ou trois secondes qu'il était à 18 ans avant de conduire à une érection pleine et ferme, ce temps de réaction peut, à 50 ans, s'étendre sur plusieurs minutes.

La raison de cette diminution de spontanéité est essentiellement d'ordre physiologique. Elle peut être provoquée par plusieurs facteurs : affaiblissement du muscle cardiaque, rétrécissement des veines et artères, encrassement des tissus péniens… Cette baisse de spontanéité ne signifie nullement que votre vie sexuelle se termine. Toutefois, pour ne pas aggraver la situation, vous devez accepter cette moins grande spontanéité et vous y adapter. Si vous paniquez devant ce que vous interprétez comme une perte de virilité, l'émotion ainsi ressentie viendra contrecarrer le processus réflexe de vos érections et empêcher cette érection.

Saviez-vous qu'il n'est pas nécessaire d'être en érection pour commencer à faire l'amour ? Rien ne vous empêche d'embrasser ou de caresser votre partenaire en attendant que votre érection se développe. Vous pourriez même en profiter pour vous concentrer sur les préliminaires et prendre conscience des plaisirs sensuels (non génitaux) qui y sont rattachés. Auparavant, dès que vous étiez en solide érection, toute votre attention était canalisée sur votre génitalité et le plaisir intense qui l'accompagnait ; aujourd'hui, vous pourriez déplacer cette attention sur les sources de plaisir que recèle le reste de votre corps et qui font partie des plaisirs préliminaires. Ces plaisirs sont souvent, comme pourra vous le confirmer la majorité des femmes, tout autant sinon plus intéressants que le plaisir génital et l'orgasme lui-même.

En ce sens, on pourrait dire qu'en vieillissant votre sexualité se rapproche davantage de celle de la femme, c'est-à-dire qu'elle est moins génitale et devient plus sensuelle, si évidemment vous l'acceptez. Contrairement à votre croyance, cette «dégénitalisation»[2], pour ne pas dire cette «dépénélisation»[2] de votre sexualité, fait de vous un meilleur amant. Les jeunes femmes reprochent très souvent aux jeunes hommes de ne penser qu'à «ça», «ça» signifiant leur désir de faire l'amour et leur hâte d'arriver à la pénétration. Ce qui fait qu'elles vont apprécier leur partenaire vieillissant ou les hommes d'âge mûr parce que ceux-ci sensualisent davantage leur sexualité. En vieillissant, vous pouvez apprendre à faire l'amour comme votre partenaire l'a toujours désiré.

2. Nécessité d'une plus grande stimulation physique. À 18 ans, une seule pensée érotique et vous étiez en érection ; le contact de l'air ou de l'eau sur votre corps nu suffisait amplement à obtenir le même résultat. À 55 ans, vous pourriez maintenant vous promener nu dans un club de nudistes sans aucune crainte d'érection indésirable, même entouré de jolies femmes. À 18 ans, la réceptivité génitale de votre corps, grâce à la grande quantité d'hormones sexuelles présentes, est à son maximum et la moindre stimulation d'ordre mental ou physique suffit à provoquer votre érection. Mais, à 50 ans, votre taux de testostérone n'est plus ce qu'il était. Nous reparlerons de la testostérone au chapitre suivant.

Aujourd'hui, pour obtenir le même résultat, la stimulation mentale ne suffit plus ; vous avez besoin d'y ajouter une stimulation d'ordre physique, laquelle devra être de plus en plus grande au fur et à mesure que vous vieillirez. Vous avez le choix : vous le refusez et paniquez ou vous essayez de voir le bon côté des choses.

Souvent à cause de son éducation sexuelle puritaine ou parce qu'elle ne voulait pas vous exciter trop rapidement, votre partenaire n'osait pas toucher vos organes génitaux. Maintenant, si elle a pu se débarrasser de ses attitudes négatives face à la sexualité et la génitalité, et parce que vous réagissez génitalement moins «précocement», elle peut se permettre de vous toucher davantage et découvrir de nouveaux plaisirs associés à la génitalité. Si votre partenaire démontre une ouverture d'esprit plutôt qu'un sentiment de rejet face à votre moins grande spontanéité érectile, elle peut prendre une part beaucoup plus active dans vos jeux sexuels génitaux.

Si elle garde une perception positive de son corps et n'interprète pas la diminution de votre spontanéité érectile comme la conséquence d'une baisse de son «sex-appeal», elle pourra se valoriser en se rendant compte que c'est sa plus grande implication active dans vos jeux sexuels qui provoque vos érections, et non seulement son corps. Vous savez la fameuse question «Est-ce moi que tu aimes ou est-ce seulement mon corps?». En utilisant ses mains, sa bouche, ses seins pour stimuler votre pénis et vos organes génitaux, elle devient ainsi plus directement «responsable» de votre excitation et de vos érections. Donnez-vous la permission d'être moins actif, d'être plus réceptif aux caresses de votre partenaire, et donnez-lui la permission d'être fière d'être, d'une nouvelle façon, la source de votre désir; cela ne pourra que resserrer les liens entre vous deux.

Évidemment, vous pourriez vous «expérimenter» du côté des jeunes femmes, mais la nature de votre sexualité étant ce qu'elle est, une fois passée l'excitation de la nouveauté, vous reviendrez au même point, c'est-à-dire à la nécessité d'une plus grande stimulation physique pour obtenir le même résultat érectile. Pire, votre désir d'aller vérifier votre capacité d'érection auprès de femmes plus jeunes, ce que les psychologues appellent le complexe de performance, vous empêchera probablement d'avoir une érection et ce nouvel échec ne fera qu'augmenter vos craintes et votre croyance que vous êtes vraiment sur votre déclin sexuel.

3. **La dureté des érections.** Un autre changement important qui survient avec l'âge concerne la dureté de vos érections : votre pénis ne connaîtra probablement plus les érections «dures comme fer» du temps de vos premières expériences sexuelles. Mais cela ne vous empêchera pas d'avoir suffisamment de fermeté pour vous permettre de pénétrer votre partenaire.

En fait, cette perte de dureté se fait surtout sentir lors des préliminaires. Au fur et à mesure que votre excitation montera, votre pénis deviendra de plus en plus ferme. Il atteindra généralement son maximum de fermeté juste au moment de l'orgasme, mais pas toujours. De toute façon, la fermeté de votre érection est peut-être nécessaire à la pénétration, mais ce n'est pas tant la dureté de votre pénis que la façon dont vous l'utilisez qui fait de vous un bon ou un médiocre amant. Un pénis semi-ferme ou aux trois quarts de sa capacité maximale d'érection peut donner autant, sinon plus, de plaisir à votre partenaire si vous l'utilisez de différentes façons au lieu d'une façon stéréotypée et mécanique. Mettez-y de l'émotion, votre partenaire appréciera. D'ailleurs, vous pouvez orgasmer même si votre pénis est seulement en semi-érection.

4. **Érection plus longue sans éjaculation.** Ceci est la modification la plus avantageuse que vous pourrez observer au fur et à mesure que vous vieillirez : la rapidité de votre éjaculation s'atténue avec l'âge. Votre partenaire ne peut que vous en féliciter, surtout si vous étiez plutôt très rapide étant plus jeune et que vous éjaculiez avant ou immédiatement après la pénétration.

La rapidité éjaculatoire, que d'autres appellent l' «éjaculation précoce» comme si c'était une maladie, est une caractéristique sexuelle tout à fait normale chez le jeune homme[3]. Cette rapidité éjaculatoire est la conséquence naturelle de plusieurs facteurs : l'intensité de la pulsion sexuelle adolescente due à un taux de testostérone élevé; la grande sensibilité de ses organes génitaux; la tendance innée à l'orgasme de l'homme[4]; le charisme érotique de sa jeune partenaire; et la nécessité biologique de la reproduction au moment où le corps de l'homme est généralement dans sa meilleure forme (18-30 ans). Loin d'être une dysfonction sexuelle, la rapidité éjaculatoire est, aux points de vue génétique et reproductif, un atout pour la survie de l'espèce humaine.

Mais, en vieillissant, il est moins avantageux, génétiquement parlant, que l'homme se reproduise. C'est pourquoi la nature a fait en sorte que diminue sa sensibilité éjaculatoire pour permettre ainsi à l'homme de plus de 40 ans d'avoir des érections plus longues. Le facteur expérience joue aussi un rôle dans l'apprentissage d'un meilleur contrôle éjaculatoire. À force de goûter à quelque chose de très bon, on en arrive à prendre le temps de déguster ce que l'on goûte, même si l'on a très faim. Même chose pour la sexualité: plus l'homme a l'occasion de vivre des expériences sexuelles agréables, plus il est porté à vouloir faire durer ce plaisir intense, si aucune croyance, attitude, émotion ou pression intérieure ou extérieure négative ne vient perturber cet apprentissage.

En travaillant de concert, la nature et la culture peuvent ainsi amener l'homme de 40 ans ou plus et sa partenaire à profiter au maximum de la plus grande durée de ses érections. Quand on sait que les femmes ont généralement besoin d'une stimulation plus longue et plus intense pour orgasmer de façon vaginale, la perte de la rapidité éjaculatoire ne peut donc être qu'un atout de plus pour elle afin de lui permettre d'apprécier davantage le coït. Ceci peut aussi permettre à l'homme d'être un meilleur amant.

5. **Perte d'érection plus rapide après l'orgasme.** Il n'était pas rare, dans votre vingtaine et surtout lors de périodes passionnelles, que vous gardiez votre érection postorgasmique tant et aussi

longtemps que votre partenaire restait dans vos bras et qu'il y avait caresses réciproques. Vous pouviez même avoir un deuxième et parfois même un troisième orgasme tout en restant au garde-à-vous. Aujourd'hui, sauf en de très rares occasions, cela fait partie du passé. Dès votre orgasme complété, vous perdez plus rapidement qu'auparavant une grande partie de votre érection et un peu plus lentement le reste de votre érection. La perte d'érection se fait toujours en deux phases, peu importe l'âge, sauf que ce processus est de plus en plus rapide avec l'âge.

6. **Détumescence plus rapide.** Non seulement la perte de l'érection est plus rapide mais, en fait, l'ensemble des manifestations de votre excitation sexuelle revient plus rapidement à l'état prérapport sexuel. La tumescence sexuelle englobe l'ensemble des réactions génitales et extra-génitales provoquées par la vasocongestion et la vasodilatation : engorgement sanguin des organes génitaux, gonflement des testicules, rougeurs localisées… En termes physiologiques, cela signifie que le sang se retire plus rapidement des parties congestionnées ; en termes subjectifs, vous avez l'impression de « flotter » moins longtemps, de revenir plus rapidement sur terre.

7. **Période réfractaire plus longue.** La période réfractaire désigne la période pendant laquelle, même si vous continuez d'avoir une excitation sexuelle adéquate, vos organes génitaux, particulièrement votre pénis, ne répondent plus, même si vous restez en érection et en état de tumescence. Vous ne ressentez aucun plaisir à la caresse ; parfois, cette caresse devient même désagréable parce que votre pénis est devenu trop sensible.

La période réfractaire suit immédiatement l'orgasme. À 18 ans, cette période pouvait durer quelques secondes ou quelques minutes tout au plus ; à 40 ans, elle se prolonge pendant plusieurs dizaines de minutes ; après 60 ans, elle peut facilement durer une journée entière et encore plus à 70 ou 80 ans. À 18 ans, vous pouviez rester en érection pendant cette période et reprendre vos ébats sexuels quelques secondes plus tard : la période réfractaire pouvait même passer inaperçue. Aujourd'hui, rares sont les hommes de 50 ans qui peuvent avoir un deuxième orgasme sans perte totale d'érection et sans période de détumescence de plus en plus longue. Malgré les caresses de votre partenaire, votre pénis ne réagit pas et reste flasque ; vous ne ressentez plus le plaisir et l'excitation qu'en d'autres moments ces caresses vous procurent.

Évidemment, la durée de la période réfractaire peut être influencée par divers facteurs. Si votre partenaire est une amante expérimentée, elle saura créer des situations excitantes auxquelles vous ne pourrez résister. Si vous vivez un nouvel amour intense et passionnel, il est fort possible que vous ayez l'impression de revivre une deuxième jeunesse. Mais ne vous faites pas d'illusions, votre âge va vous rattraper. Cette période sera aussi plus courte si vous êtes en excellente forme physique (nous reviendrons sur ce sujet plus loin).

Si, parce que non conscients de l'existence d'une période réfractaire qui s'allonge au fur et à mesure que vous vieillissez, vous et votre partenaire essayez malgré tout d'obtenir une érection, vous risquez évidemment d'être déçus. Si vous n'acceptez pas les changements naturels, normaux et prévisibles de votre corps, vous vous créerez un climat d'anxiété et un sentiment d'échec qui pourraient provoquer ce que les thérapeutes sexuels appellent une réaction d'impuissance secondaire. Vous n'êtes pas impuissant physiquement, mais votre crainte de l'être provoque une tension émotive telle qu'elle vous amène à prendre un rôle de spectateur lors de vos relations sexuelles et vous empêche temporairement de bien fonctionner.

La conscience et l'acceptation de vos changements corporels sont évidemment la solution à ces difficultés sexuelles réactionnelles.

1.3 Les changements au niveau de l'orgasme

8. **Désir ou capacité moindre d'orgasmer.** «Si je n'orgasme pas ce soir, je sens que je vais tomber malade.» Quel âge croyez-vous que peut avoir l'homme qui prononce ces paroles? Vous vous rappelez certainement à l'adolescence, lors de longues séances de baisers ou de caresses réciproques (au moment où vous et/ou votre partenaire vous vous refusiez au coït), avoir ressenti ce qu'on appelle un «mal de gosses». Vos testicules et vos organes génitaux étaient tellement engorgés qu'ils en devenaient douloureux et vous ne pouviez vous endormir sans faire disparaître cette tension.

À l'adolescence[5], vous recherchiez souvent l'intense plaisir orgasmique pour le plaisir en lui-même ou tout simplement pour vous soulager de l'immense tension sexuelle que vous ressentiez alors. Votre corps réagissait rapidement à la moindre stimulation érotique et vous amenait tout aussi rapidement à l'orée de l'orgasme. La chute vertigineuse de l'orgasme vous attirait et vous aviez alors le désir et la capacité de répéter fréquemment l'expérience.

Désir et capacité ne sont pas synonymes. Le «désir» fait référence à la dimension psychologique et consciente de la pulsion sexuelle; la «capacité» fait référence à la dimension physique de la pulsion sexuelle. À 18 ans, votre désir conscient et votre capacité physique d'orgasmer étaient à leur maximum: vous étiez toujours prêt et vous vouliez «remettre ça» le plus rapidement et le plus souvent possible. Aujourd'hui, vous connaissez ce plaisir pour l'avoir expérimenté des milliers de fois. Ce plaisir vous intéresse toujours, mais probablement pas de façon aussi intense et violente qu'au moment de vos premières découvertes. D'autres intérêts (professionnels, familiaux, sociaux, projets personnels) se sont développés et vous demandent de l'énergie. Vous sentez aussi que physiquement vous avez non seulement moins le goût, mais aussi moins la « force » de vous engager dans tous les jeux préliminaires et de fournir l'effort demandé pour arriver à orgasmer. Cette baisse du désir et de votre capacité est tout à fait prévisible et normale. Vous êtes physiquement moins fort à 50 ans que vous l'étiez à 18-25 ans, âge auquel les records olympiques prennent généralement place. Votre capacité physique est moindre, même si votre désir psychologique peut, lui, rester intense.

9. **Désir et besoin d'orgasmer moins urgents.** Vous avez le désir de vous rapprocher de votre partenaire et vous vous sentez en pleine forme. Si vous aviez encore 18 ans, vous auriez aussi le goût d'atteindre le plus rapidement possible les plus hauts niveaux d'excitation érotique et essayeriez de vous y maintenir, mais souvent sans succès, votre corps de 18 ans étant ce qu'il est.

Mais vous avez maintenant plus de 40 ans, vous connaissez bien ces hauts sommets et vous vous êtes aussi rendu compte (changement #8) que malgré votre désir, il vous était plus difficile de parvenir à orgasmer. Vous pouvez, si vous le voulez, vous efforcer par tous les moyens possibles d'aboutir à l'orgasme ou bien, de gourmand, devenir gourmet, c'est-à-dire prendre le temps de faire durer le plaisir et de goûter chaque parcelle de ce plaisir plutôt que de tout miser sur l'intensité de l'orgasme.

Du moins, c'est comme cela que vous devriez interpréter la moins grande urgence et la moindre capacité de votre corps à orgasmer à tout coup et comprendre que c'est justement cette « désorgasmisation »[2] de votre sexualité qui peut faire de vous un meilleur amant.

Vérifiez auprès de votre partenaire. Vous avez le choix :

• Vous paniquez parce que vous sentez que la séquence désir-caresses-orgasme ne s'effectue plus aussi facilement et rapidement qu'auparavant et interprétez cela comme le début de votre impuissance.

• Ou, suivant en cela les messages de votre corps, vous focalisez moins sur la nécessité absolue d'orgasmer et vous vous consolez en reportant, par exemple, au lendemain matin la conclusion de votre rapport sexuel. Vous vous endormez en paix et satisfait des plaisirs échangés avec votre partenaire.

Au même titre que vous pouvez magasiner sans nécessairement acheter quoi que ce soit, vous pouvez aussi entreprendre des jeux sexuels sans nécessairement terminer la partie.

Beaucoup de mes clients de plus de 40 ans m'ont rapporté pouvoir faire l'amour tout en gardant une bonne érection pendant plus de trente minutes mais parfois être incapables d'orgasmer.

« J'aime faire l'amour avec ma femme, mais je suis tellement préoccupé par ma difficulté à orgasmer que j'en arrive à éviter les contacts sexuels parce que je les considère alors comme des échecs. »

Cette tendance mâle à vouloir absolument conclure chaque rapprochement sexuel par l'orgasme, le sien et celui de sa partenaire, est souvent mal vécue par la partenaire qui, pour satisfaire son homme, va feindre l'orgasme. C'est pourquoi l'urgence moindre de l'orgasme ressentie par l'homme de plus de 40 ans est très bien accueillie par la femme : elle le trouve moins « achalant » et peut ainsi davantage se laisser aller lors des préliminaires. Pour reprendre le parallèle avec le magasinage, tous connaissent très bien le grand plaisir qu'éprouve la majorité des femmes à magasiner, même si elles ne trouvent pas ce qu'elles sont venues acheter. Ainsi en est-il de sa sexualité.

Le corps de l'homme de 40 ans, et encore plus celui de 60 ans, peut n'éprouver le besoin d'orgasmer, par exemple, qu'une seule fois par semaine, mais rien n'empêche cet homme de 60 ans de continuer à avoir deux ou trois contacts sexuels par semaine, si sa partenaire est consentante, et de jouir de la chaleur et de la sensualité de ces contacts. L'homme qui n'accepte pas cette éventualité réagit généralement de deux façons : ou bien il évite toute nouvelle relation sexuelle parce que celle-ci est source de frustration et d'un sentiment d'échec ; ou bien, au contraire, il augmente la fréquence de ses relations sexuelles pour essayer de se prouver à lui-même qu'il est encore « capable ». Dans les deux cas, l'expérience sexuelle qui devrait être vécue de façon agréable est plutôt vécue dans la tension et l'anxiété.

La partenaire de cet homme va parfois, elle aussi, ajouter de la pression et de l'anxiété en interprétant l'incapacité occasionnelle d'orgasmer de l'homme ou la baisse de la fréquence sexuelle comme un échec personnel parce qu'elle est moins attirante, comme une baisse de l'amour qu'il éprouve pour elle ou encore comme la preuve que son partenaire entretient une maîtresse. Beaucoup de conflits conjugaux ont eu comme sources cette modification pourtant prévisible de la sexualité mâle et l'interprétation qu'en a faite la partenaire.

10. **Moindre force de l'éjaculation.** Un autre changement que vous avez certainement dû remarquer, c'est que, lorsque vous éjaculez, votre sperme n'est plus éjecté avec la même force et aussi loin qu'auparavant ; en fait, votre éjaculation devient plus un écoulement

qu'une véritable projection hors de votre corps. Cette modification n'affecte pas réellement votre plaisir orgasmique ; elle n'est que la conséquence de l'affaiblissement de la musculature responsable de l'éjaculation. De plus, elle peut être compensée ou ralentie par les exercices de Kegel (voir chapitre 6). Ce changement n'influence pas non plus votre fertilité qui se mesure au nombre de spermatozoïdes par ml et non par la force de votre éjaculation.

11. **Baisse de la sensation du point de non-retour.** Il existe chez l'homme une particularité qui lui est exclusive, le point de non-retour. Alors que la femme passe de l'excitation à l'orgasme comme une suite logique, l'homme ressent, quelques secondes avant le déclenchement de l'orgasme et de l'éjaculation, une sensation d'inévitabilité éjaculatoire. Il sait qu'il va éjaculer incessamment et qu'il ne peut rien faire pour l'éviter ; c'est pourquoi on appelle cette sensation le point de non-retour. De plus, l'homme ne peut stopper son orgasme une fois que celui-ci est déclenché alors que la femme peut arrêter le sien si, par exemple, un enfant arrive à l'improviste dans la chambre à coucher de ses parents alors que ceux-ci sont en pleine action.

Très forte chez l'adolescent mâle, cette sensation du point de non-retour tend à disparaître avec l'âge. En cela aussi, le fonctionnement sexuel de l'homme se rapproche de plus en plus de celui de la femme en vieillissant. Il passe maintenant d'une forte excitation à l'orgasme sans la sensation fulgurante qu'il avait l'habitude d'éprouver étant plus jeune. C'est comme si cette sensation se fondait maintenant dans l'orgasme et n'était plus aussi différenciée.

12. **Période réfractaire plus longue.** Il existe une première période réfractaire concernant l'érection (changement # 7), c'est-à-dire une période pendant laquelle vous ne pouvez pas obtenir une nouvelle

érection même si la stimulation est adéquate. La période réfractaire dont il est fait mention ici concerne votre capacité orgasmique. Après avoir vécu un orgasme, vous pouvez, quelques heures plus tard, récupérer votre érection ; mais, même si la stimulation est adéquate ou l'activité sexuelle très excitante, il vous sera impossible d'orgasmer à nouveau.

Inexistante à l'adolescence ou se confondant avec la période réfractaire érectile, cette deuxième période réfractaire prend lentement place au fur et à mesure de votre vieillissement et devient de plus en plus indépendante de la première. Elle explique en bonne partie le fait que vous puissiez recevoir beaucoup plus de stimulation sans déclencher le réflexe éjaculatoire.

La meilleure attitude est, encore une fois, de prendre conscience que ce changement est normal et de vous y adapter en mettant l'accent sur le plaisir de pouvoir être en érection plus longtemps et plus souvent. Que vous le vouliez ou non, de toute façon, vous serez en période réfractaire érectile et orgasmique après chaque relation sexuelle complète.

13. **Période réfractaire paradoxale.** Un autre phénomène que vous avez probablement pu constater ou constaterez bientôt est que parfois, et même si cela fait longtemps que vous n'avez pas fait l'amour (ce qui exclut les deux périodes réfractaires ci-dessus mentionnées), vous ne parvenez pas à orgasmer malgré l'excitation de la relation en cours. Arrive un moment où même si la stimulation est adéquate, elle ne vous excite plus, comme si vous étiez en période réfractaire. C'est la raison pour laquelle on l'appelle paradoxale : vous n'avez pas éjaculé ni orgasmé, mais votre corps réagit comme si vous aviez éjaculé et/ou orgasmé. Cessez alors toute tentative pour vous forcer à orgasmer et dites-vous que vous pourrez recommencer dans quelques heures.

La femme éprouve beaucoup plus souvent que l'homme cette espèce de période réfractaire paradoxale : elle sent et sait que même si vous continuez à la stimuler, c'est peine perdue. Croyez-la alors quand elle vous demande d'arrêter de la stimuler et dites-lui que vous l'aimez au lieu de la forcer à orgasmer.

14. **Orgasme sans éjaculation.** Il peut aussi arriver que vous éprouviez un léger orgasme, mais sans éjaculation. Les contractions de ce mini-orgasme sont suffisamment fortes pour que vous en preniez conscience mais pas suffisamment intenses pour vous convaincre que vous avez orgasmé. Vous avez alors ce que nous appelons un « orgasme à sec ». Cela s'explique par le fait que, quoique généralement concomitants, l'éjaculation et l'orgasme sont deux réactions physiologiques indépendantes, l'une pouvant se produire sans l'autre[6]. D'ailleurs, d'après William Hartman et Marylyn Fithian[7], certains hommes ont appris tout à fait naturellement à orgasmer sans éjaculer, ce qui leur permet d'être multiorgasmiques.

1.4 Les changements au niveau de l'expérience sexuelle globale

15. **Déplacement de l'intérêt sexuel.** Plusieurs jeunes clientes que j'ai eues en thérapie sexuelle reprochaient aux partenaires de leur âge sensiblement les mêmes choses :

- « Il est toujours en érection ;
- Il ne pense qu'à la pénétration ;
- Il éjacule trop vite ;
- Il ne prend pas le temps de me caresser ;
- Il se fâche si je lui demande de ralentir ;
- Il est frustré si je lui demande de me caresser ailleurs que sur les seins et la vulve ;

- Il est impatient ;
- J'ai l'impression d'être seulement un objet sexuel pour lui ;
- Il n'est pas assez romantique ;
- J'ai parfois l'impression qu'il se masturbe en moi ;
- Nos relations sexuelles ne durent pas assez longtemps à mon goût ;
- J'ai l'impression d'être utilisée et de ne pas servir à grand-chose ;
- Il ne me donne pas assez de tendresse ;
- Il ne pense qu'à lui et ne s'occupe pas de moi ;
- Il ne veut pas me laisser faire ;
- Il faut absolument que j'orgasme sinon il n'est pas content ;
- Etc., etc., etc. »

Tous ces reproches démontrent que le jeune homme donne la priorité à la génitalité plutôt qu'à la sensualité. Ces reproches sont tout à fait justifiés. L'aspect central de la sexualité de l'adolescent ou du jeune homme est son besoin d'éjaculer et d'orgasmer : ses érections sont rapides et demandent peu de stimulation physique ; il a hâte de parvenir au coït qui lui procure un maximum de stimulation et de plaisir.

Il n'y aurait pas de problème si sa partenaire réagissait aussi rapidement que lui et donnait aussi la priorité à la génitalité. Or, dans les faits, la jeune femme doit développer sa génitalité et apprendre à orgasmer, contrairement au jeune homme. Elle réagit donc moins intensément aux caresses et a besoin d'un climat romantique et de plus de caresses pour arriver au même niveau d'excitation que son partenaire.

Maintenant que vous êtes plus âgé, vous êtes beaucoup mieux préparé pour répondre aux besoins spécifiques de votre partenaire.

Vous avez de l'expérience et votre corps vous «oblige» à ralentir et à découvrir votre sensualité. Les changements décrits ci-dessus peuvent peut-être vous préoccuper, mais les femmes, elles, les apprécient :

• « J'apprécie beaucoup plus mes relations sexuelles avec mon partenaire depuis que je sens qu'il est moins pressé d'arriver au but. »   (Annie, 43 ans)

• « J'adore sentir le pénis de mon mari venir en érection dans ma bouche ou sous l'effet de mes caresses manuelles ou buccales. J'ai l'impression d'être la source de son érection et non plus seulement un objet sexuel qu'il utilise pour se satisfaire. »
(Johanne, 49 ans)

• «Nos relations sexuelles durent maintenant plus longtemps. Je suis plus active et j'ai beaucoup plus de plaisir qu'avant. J'ai aussi plus d'orgasmes parce que j'ai plus de tendresse. »
(Brigitte, 52 ans)

• « Je ne sais pas ce qui est arrivé à mon mari, mais depuis quelque temps nous faisons l'amour plus souvent. Serait-ce dû au fait qu'il n'orgasme plus toutes les fois et que ça lui donne le goût et la force de recommencer ? J'en suis très heureuse. »
(Pierrette, 54 ans)

• « J'ai vraiment l'impression aujourd'hui de faire l'amour avec mon mari. Il se préoccupe davantage de moi et me permet d'être plus active. Avant, il refusait que je m'assois sur lui ; il ne trouvait pas ça viril. Moi, j'aime ça prendre le contrôle et sentir que ce sont mes mouvements qui l'excitent. J'ai l'impression d'être plus sexy. »   (Ginette, 63 ans)

• « J'ai fait l'amour avec des hommes de tous âges, mais ce sont les hommes âgés que je préfère parce que je me sens enveloppée par eux. Je n'ai pas l'impression d'être seulement un « bon coup ». Ils me donnent aussi de la tendresse. » (Dany, 29 ans)

Si vous acceptez de mettre un moindre accent sur la génitalité et un plus grand accent sur l'ensemble de votre expérience sensuelle et sexuelle, vous vous découvrirez une nouvelle sexualité. Les hommes âgés font de meilleurs amants parce qu'ils répondent mieux aux exigences de leurs partenaires.

16. Forte influence des facteurs psychophysiologiques. À 18 ans, votre sexe est plus fort que vous. Votre corps est rempli de testostérone ; vos réactions génitales sont rapides et intenses ; vos réflexes sont on ne peut plus rapides. À preuve, vous avez tenté de contrôler votre masturbation et n'y êtes pas parvenu ou vous avez dû faire des efforts surhumains pendant quelque temps avant de succomber à nouveau. Vous avez aussi probablement eu des rapports sexuels avec des partenaires de votre âge non pas parce que vous étiez en amour, mais tout simplement pour satisfaire votre besoin physique.

Que vous le vouliez ou non, les besoins physiologiques de votre corps dépassent le pouvoir de votre volonté et c'est tant mieux ainsi : la nature a mis cette forte pulsion sexuelle dans votre corps de 20 ans car elle voulait vous pousser vers l'autre sexe afin d'augmenter les chances de reproduction. Une forte pulsion sexuelle chez vous, une composante relationnelle plus importante chez votre partenaire, voilà réunies deux importantes dimensions pour donner naissance aux « fruits de votre amour » et vous obliger à vous en occuper.

Toutefois, en vieillissant, l'intensité de votre pulsion sexuelle physiologique diminue et fait maintenant davantage place aux facteurs psychologiques et émotifs de votre sexualité. Vous prenez volontairement le contrôle de votre sexualité; vos choix sexuels sont meilleurs; vous avez une meilleure maîtrise de votre excitation et de vos éjaculations; vous êtes moins «obsédé» par le sexe; vous pouvez plus facilement reporter une satisfaction sexuelle à plus tard... D'où l'importance du contenu de vos pensées.

Si vous entretenez des pensées négatives concernant ce que vous interprétez comme une baisse de votre virilité, si vous êtes tendu et anxieux lors de vos relations sexuelles, si vous êtes préoccupé par votre performance sexuelle, si vous voulez absolument plaire à votre partenaire, si vous avez peur de ne pas avoir d'érection ou que celle-ci tarde à venir, si vous n'abandonnez pas votre façon linéaire (désir-caresses-orgasme) de faire l'amour, si vous ne comprenez pas et n'acceptez pas les changements corporels qui surviennent, si... si... si..., alors toutes ces pensées créeront un état psychologique et émotif qui vous empêchera de fonctionner sexuellement de façon satisfaisante. En vieillissant, vous devenez de plus en plus sensible aux facteurs psychologiques et aux facteurs émotifs, en plus des facteurs physiologiques. Mais comme ces derniers ne sont plus aussi intenses qu'auparavant, ils ne peuvent plus surmonter par leur seule force vos peurs psychologiques ou vos émotions négatives. Et c'est tant mieux ainsi: vous pouvez maintenant donner une nouvelle signification, un nouveau sens à votre sexualité.

• • • • •

Lorsque, à la fin de la thérapie, je demandai à Jacques et Annie ce qui les avait le plus aidés à réactiver leur sexualité, voici la réponse qu'ils me firent:

«La pensée qui m'obsédait le plus, dit Jacques, c'était en fait de croire que j'étais le seul homme dans ma situation, que j'étais le seul de mes amis de plus de 40 ans à avoir des problèmes d'érection et d'orgasme. À les entendre, pour eux, tout fonctionnait très bien. Je n'osais en parler à personne, même pas à Annie. Mais maintenant que je sais que je suis normal, j'ai repris goût à ma sexualité. Je sais aussi que, sous des airs de fanfaronnade, ils ont probablement les mêmes préoccupations que moi. Je remplace maintenant la quantité par la qualité. Merci beaucoup de m'avoir aidé à prendre conscience de tout cela.»

«Au début, dit Annie, lorsque j'ai commencé à sentir que Jacques était moins empressé qu'auparavant à vouloir faire l'amour, j'ai tout de suite pensé que c'était à cause de moi, que mon corps l'attirait moins, que j'étais moins sexy. J'ai même pensé qu'il m'aimait moins et je l'ai surveillé pour voir s'il n'allait pas ailleurs, s'il n'avait pas une maîtresse (rires d'Annie). Aujourd'hui, je sais que tous les changements vécus par Jacques sont tout à fait normaux et que j'ai un plus grand rôle à jouer dans nos relations sexuelles. Et fiez-vous à moi, j'y compte bien (Jacques et Annie se regardent et se sourient).»

Je le répète : tous les changements décrits ci-dessus sont normaux, graduels et prévisibles. En eux-mêmes, ces changements ne peuvent être source de dysfonctions sexuelles, à moins de problèmes d'ordre organique. C'est plutôt l'ignorance de ces modifications et la panique qui s'ensuit qui sont la principale cause des problèmes d'impuissance que l'on rencontre de façon plus fréquente chez l'homme de 40 ans et plus.

2

Andropause et
hormonothérapie

2.1 L'andropause existe-t-elle ?

Les médias relancent régulièrement le débat sur l'existence de l'andropause chez l'homme. C'est Gail Sheehy, auteure de *Passages*, qui, en 1993, a amorcé ce débat en clamant haut et fort qu'il existait une « ménopause » mâle, un « passage rempli de secrets, de honte, de refus et dont personne n'ose parler ». Elle illustrait sa position par des cas d'hommes sexuellement impuissants et présentant des perturbations émotives. N'en déplaise à madame Sheehy, la réalité est toute autre.

La ménopause survient chez la femme entre 40 et 50 ans et se manifeste par la cessation de l'ovulation, l'arrêt définitif de la menstruation, une chute dramatique de production des oestrogènes et de la progestérone et par la présence plus ou moins intense de multiples symptômes tels que bouffées de chaleur, sueurs abondantes, maux de tête, douleurs musculaires, sécheresse vaginale, insomnie, dépression, gain de poids et variations d'humeur. Le risque d'ostéoporose et de cancer du sein augmente considérablement. **Et aucune femme n'échappe à la ménopause**.

Présenter l'andropause masculine comme un équivalent de la ménopause féminine est un non-sens et ce, pour plusieurs raisons évidentes :

1. Tout d'abord, il n'existe pas chez l'homme de changement hormonal radical survenant à un moment précis de sa vie. La production de testostérone, l'hormone associée au désir sexuel et à l'agressivité, diminue progressivement à partir de 50 ans. À 70 ans, le taux de testostérone est inférieur en moyenne de 20 % à ce qu'il était à 30 ans ; dans les pires situations, ce taux peut parfois baisser de 30 à 50 %. La principale conséquence s'exprime par la diminution, mais non la perte, du désir sexuel et par une baisse de sa spontanéité érectile. Ces hommes peuvent, par contre, profiter d'une thérapie de supplément de testostérone, tout comme le peuvent les femmes ménopausées.

2. L'homme âgé conserve sa capacité reproductive jusque sur son lit de mort, contrairement à la femme qui perd justement cette capacité lors de sa ménopause. Évidemment, la quantité et la qualité des spermatozoïdes diminuent au fur et à mesure que l'homme vieillit, mais il peut quand même continuer de se reproduire.

3. L'absence de concentration des changements dans un laps de temps relativement court (de 3 à 5 ans pour la ménopause) constitue une troisième raison à l'encontre de l'existence de l'andropause. Les plus grands changements physiologiques au niveau de la sexualité qui surviennent chez l'homme se produisent entre 60 et 70 ans et ne sont pas nécessairement reliés à la baisse de production de testostérone, mais plutôt à l'accentuation du processus de dégénérescence globale.

Il est vrai qu'il existe parfois chez l'homme des symptômes physiques et psychologiques analogues à ceux de la ménopause. Selon Masters et Johnson, seulement 5 % des hommes de plus de 60 ans souffriraient d'une phase critique équivalente à la ménopause féminine. Les symptômes les plus fréquents sont la fatigue matinale, la lassitude, des douleurs vagues, la nervosité, l'irritabilité et des phases dépressives accompagnées d'insomnie, de trous de mémoire, de troubles d'érection, de manque de confiance en soi et toutes sortes d'inquiétude. Chez les femmes, tout est une question d'intensité ; chez les hommes, beaucoup n'éprouveront jamais ces symptômes. C'est parfois même le contraire : l'homme à la retraite qui s'occupe maintenant plus de sa forme physique et de son alimentation voit souvent sa santé et sa sexualité prendre du mieux.

Le stress, la fatigue professionnelle, la perte d'intérêt pour sa partenaire, l'émergence de conflits psychiques, la mise à la retraite, les effets secondaires de médicaments, le début d'une dépression…, plus qu'un chambardement hormonal, sont souvent la réelle source des changements et symptômes qu'on observe chez l'homme vieillissant.

On ne peut pas non plus associer le fameux « démon du midi » à l'andropause. Ce phénomène, qui là aussi n'existe pas chez tous les hommes, est provoqué par l'anxiété de performance et non par des changements hormonaux.

Malgré votre grand désir, madame Sheehy, le vieillissement n'est malheureusement pas égal chez l'homme et la femme, du moins pas à ce niveau. L'andropause n'est pas l'équivalent masculin de la ménopause. C'est une question de nature.

2.2 La testostérone : l'hormone de la sexualité

La testostérone est une hormone sécrétée par les testicules. Elle stimule le développement des organes génitaux mâles et détermine l'apparition des caractères sexuels mâles secondaires. La testostérone fait partie des androgènes, hormones produites par les glandes corticosurrénales. La testostérone est aussi responsable de la croissance, de la production de protéines, du développement musculaire (c'est la raison pour laquelle elle est souvent associée à l'agressivité) et du dépôt de calcium dans les os. De plus, elle joue un rôle excessivement important dans l'intensité du désir sexuel (libido) et de la performance sexuelle.

En fait, elle est l'hormone responsable de la pulsion sexuelle, de l'intérêt sexuel et du comportement sexuel, autant chez les hommes que chez les femmes. Quoique produite en moins grande quantité chez les femmes, le taux de testostérone semble suffisant pour stimuler le comportement sexuel féminin. Les hommes, en général, produisent de dix à vingt fois plus de testostérone que les femmes, ce qui explique l'intérêt sexuel plus élevé de ceux-ci, ainsi que leur agressivité plus intense.

On évalue le taux de concentration de la testostérone par une simple prise de sang. La femme adulte possède une concentration qui varie entre 1,0 à 3,5 nanomolécules par litre de sang alors que le taux de testostérone de l'homme varie de 6,9 à 27,7 nanomolécules. À titre de comparaison, la testostérone que l'on retrouve chez les enfants, garçons ou filles, ne dépasse jamais 1,0 nanomolécule par litre de sang et peut parfois être nulle jusqu'à l'adolescence.

La production d'androgènes et de testostérone qui survient à l'adolescence est nécessaire à l'acquisition du corps sexué de l'homme et de son comportement sexuel. L'ablation des testicules avant la puberté a comme conséquence l'arrêt de production de testostérone : l'individu gardera alors une allure corporelle infantile toute sa vie et ne développera jamais de véritable intérêt sexuel.

La testostérone joue donc un rôle déterminant dans le désir sexuel de l'homme ; toutefois, elle n'augmente pas la performance sexuelle ni ne modifie pas l'orientation sexuelle même si elle intensifie le désir. D'autres facteurs jouent évidemment, de façon complémentaire, un rôle dans votre sexualité tels l'attirance que vous éprouvez pour votre partenaire, l'excitation du moment, l'absence de stress et d'anxiété, le réflexe érectile, la circulation sanguine, la stimulation physique… Mais il ne fait aucun doute que la baisse de production de testostérone due à l'âge ou, pire, une déficience importante dans sa production, peu importe l'âge, diminuera votre désir sexuel, même si les autres facteurs restent intacts.

La question du supplément de testostérone pour certains hommes se pose donc au même titre que le supplément de progestérone et d'oestrogènes chez la femme ménopausée. Qu'en est-il ? Qui peut en prendre ? Qui peut les prescrire ? Quels en sont les bénéfices ? Y a-t-il des réactions secondaires ? Que décider ?

D'après nos connaissances actuelles, si l'impuissance est vraiment causée par une déficience en testostérone, l'hormonothérapie par injection de testostérone donne d'excellents résultats. Malheureusement, même si votre taux de testostérone est déficient, l'hormonothérapie ne donnera aucun résultat sur votre impuissance si d'autres causes sont présentes comme, par exemple, un haut taux d'anxiété, des artères bouchées ou des nerfs sectionnés.

L'hormonothérapie par testostérone s'adresse donc seulement aux cas d'impuissance dont on peut isoler la cause et à condition que celle-ci soit uniquement d'ordre hormonal. Par contre, certains urologues-sexologues n'hésitent pas à prescrire de la testostérone aux hommes de plus de 60 ans qui ont des problèmes d'érection quand leur taux est normal mais inférieur à la moyenne. Les résultats sont intéressants.

Parce que la testostérone est digérée par le foie lorsque prise oralement, les urologues prescrivent des pilules de méthyltestostérone qui possède un pouvoir d'action prolongé et qui est plus résistant au métabolisme du foie. La testostérone peut aussi être administrée par injection, généralement dans les fesses. Vous pouvez vous les administrer vous-même ou demander à votre partenaire de vous accompagner lors de votre prochaine visite chez votre urologue afin qu'elle apprenne comment les faire. Les effets se font généralement sentir dans les deux semaines suivant le début des injections. Tout comme pour les femmes, les timbres (patch) de testostérone sont maintenant disponibles sur le marché.

Si les effets positifs peuvent être assez rapides, les suppléments de testostérone peuvent avoir aussi des effets indésirables chez certains hommes. Parmi les plus importants, citons : diminution du volume des testicules, abaissement de la quantité de spermatozoïdes dans le sperme, augmentation de la rétention d'eau et de sel par les reins, production excessive de globules rouges dans le sang, augmentation du niveau de calcium dans le sang, stimulation des glandes sébacées responsables de l'acné, jaunisse, développement des glandes mammaires et stimulation de la production des cellules de la prostate pouvant provoquer l'hypertrophie de celle-ci ou accélérer le développement d'un cancer préexistant. Contrairement à la croyance, toutefois, la prise de testostérone ne cause pas le cancer. Les diabétiques doivent être très prudents car la testostérone peut modifier la synthèse du sucre.

Des recherches récentes démontrent un effet positif intéressant : les hommes prenant de la testostérone voient leur risque de crise cardiaque diminuer en augmentant leur taux de bon cholestérol et/ou en augmentant la capacité musculaire de leur coeur.

Quoiqu'il en soit, les effets positifs et négatifs de la prise de testostérone pour le traitement de l'impuissance dépendent de votre état de santé et de votre histoire médicale. C'est pourquoi, si vous décidez d'opter pour une hormonothérapie, il est préférable de vous faire suivre de très près par votre médecin de famille ou votre urologue.

Chapitre
3

La sexualité de la femme de 40 ans et plus

3.1 L'éducation sexuelle des Aînées

Je fus invité, il y a une dizaine d'années, à donner une conférence sur la sexualité à un Club de l'Âge d'Or. La présentatrice, une femme d'environ 58 ans tout à fait serviable, me présenta à l'assistance et, après avoir donné le titre de la conférence, ajouta, en toute candeur :

«Quant à moi, depuis que mon mari n'a plus d'érection, j'ai enfin la paix.»

Croyez-le ou non, mais c'est la stricte vérité. Après un moment d'hésitation incrédule, je commençai ma conférence en disant quelque chose comme :

«J'espère que vous ne serez pas offusquée par ma réaction, madame, et je comprends malheureusement très bien la vôtre qui est loin d'être unique et exceptionnelle, mais je pense que vous passez à côté de l'une des principales sources de plaisir que la vie peut nous offrir.»

Les hommes et les femmes qui sont aujourd'hui des Aînés ont été élevés dans un contexte religieux excessivement puritain où la sexualité était présentée comme l'autoroute directe pour l'enfer. Leurs parents et leurs curés ne se gênaient pas pour sortir les portraits de l'enfer où tous et toutes étaient nus et brûlaient du feu éternel sous la garde de petits démons armés de tridents et sous la supervision d'un Lucifer ricanant. De plus, le péché originel perpétré par Ève rendait la sexualité de la femme encore plus suspicieuse. On présentait donc, avant la révolution sexuelle des années 60 et l'avènement de la pilule, les femmes en deux catégories : celles qui, vierges, devenaient de bonnes mères et les autres, les femmes dites de mauvaise vie.

Comme la femme est beaucoup plus sensible aux facteurs psychosociaux que l'homme (à cause de la puissance de sa testostérone qui l'amène à dépasser toute limite imposée), celle-ci a beaucoup plus souffert des attitudes répressives de nos sociétés de l'époque face à la sexualité. On lui présentait souvent l'homme comme une bête dont elle aurait à apprivoiser les « bas instincts »[1]. Ses premières relations sexuelles avaient souvent lieu dans un climat de terreur et de tension psychique et physique intense. Rien pour apprendre à se laisser aller.

De plus, existait aussi à l'époque le phénomène du double standard qui mettait davantage la jeune fille en garde contre la sexualité et ses conséquences (perte de réputation, perte de valeur, grossesse indésirée…) alors qu'on permettait plus facilement au jeune homme, mais de façon implicite et jamais expressément dite, d'acquérir de l'« expérience » afin de pouvoir initier sa future épouse. Il faut croire qu'à cause du climat répressif, les jeunes hommes de l'époque n'acquerraient que peu d'expérience puisque les recherches démontrent que les femmes n'apprenaient à orgasmer que plusieurs années après leur mariage, souvent après une première grossesse, si jamais elles l'apprenaient. Vous pouvez toujours vérifier par vous-même en interrogeant les femmes de plus de 65 ans de votre entourage.

Nombreuses furent aussi les mères et les religieuses enseignantes qui apeuraient les adolescentes contre le risque d'éveiller la sexualité des hommes qui pouvaient alors devenir de véritables bêtes, des violeurs en puissance. Elles leur enseignaient aussi qu'un homme de bonne famille n'épousait jamais une femme qui se donnait à lui avant le mariage. La sexualité leur était présentée comme un acte avilissant.

Il est donc compréhensible que ma présentatrice, tout comme beaucoup de femmes de sa génération, ait probablement plus subi la sexualité de son mari qu'elle ne s'est réellement épanouie sexuellement. Elle était donc soulagée et contente de ne plus avoir à accomplir son «devoir conjugal». Mais là où, à mon avis, le véritable drame se jouait, c'est que ces femmes n'imaginaient même pas qu'elles pouvaient, elles aussi, vivre une sexualité active et jouissive. Je trouverai toujours malheureux, par exemple, qu'une femme prétexte sa ménopause pour mettre fin à sa vie sexuelle et à celle de son partenaire. Malheureux parce qu'une sexualité bien adaptée à leurs conditions apporte aux femmes de nombreux avantages au niveau de l'intimité physique et émotive et possède de nombreuses répercussions positives sur leur santé physique et mentale, même passé l'âge vénérable de 70 ans.

D'un autre côté, existent de nombreuses femmes de 60 et 70 ans qui éprouvent de fortes pulsions sexuelles et qui sont encore sexuellement très actives ou, du moins, qui le voudraient car elles se retrouvent souvent veuves, divorcées ou en compagnie d'un homme généralement plus âgé qu'elles et dont elles doivent s'occuper parce que malade. Il est faux de croire que la perte de la libido constitue l'une des conséquences de la ménopause. Parfois, c'est même le contraire qui se produit, une fois disparue la crainte de devenir enceinte. Les femmes âgées qui restent socialement, professionnellement et physiquement actives et que la maladie (arthrite, arthrose, ostéoporose…) n'handicape pas se retrouvent parfois avec une libido plus intense que jamais dans leur vie et souvent plus intense que celle de leur partenaire. D'où certains problèmes d'adaptation sexuelle.

Toute question d'influence psychologique et sociale mise de côté, il existe de grandes différences entre la sexualité féminine et la sexualité masculine qui rendent l'adaptation sexuelle conjugale difficile. Contrairement aux hommes, la réactivité génitale de la femme et sa capacité orgasmique ne sont pas innées : la femme doit apprendre le plaisir sexuel et le chemin de l'orgasme. Cet apprentissage ne peut se faire que :

1. si le contexte psychosocial et l'éducation sexuelle familiale s'y prêtent ;

2. si elle ne vit pas d'expériences sexuelles traumatisantes et violentes (incestes, viols, harcèlement…) ;

3. si elle a la chance d'accumuler des expériences romantiques, sensuelles, érotiques et génitales agréables ; et

4. si elle possède une certaine curiosité tout à fait saine face à son corps et au plaisir que celui-ci peut lui procurer.

Excessivement rares sont les adolescentes et les jeunes femmes qui ont orgasmé lors de leurs premières manipulations génitales ou lors de leurs premières relations sexuelles, ce qui n'est pas le cas du jeune homme qui, lui, a plutôt de la difficulté à se contenir.

Alors que l'homme a atteint sa puissance sexuelle dès l'âge de 15 ans et que celle-ci se maintient jusqu'à 30 ans pour ensuite décliner graduellement et progressivement, la femme quant à elle, si les quatre conditions ci-dessus mentionnées sont réunies, n'atteindra sa pleine puissance de réactivité sexuelle qu'aux alentours de 30 ans pour une période d'environ une quinzaine d'années. Mais même au moment où elle atteint sa plus grande vitesse de croisière, celle-ci est inférieure, en moyenne, à celle de l'homme de son âge, comme on peut le constater dans le tableau suivant :

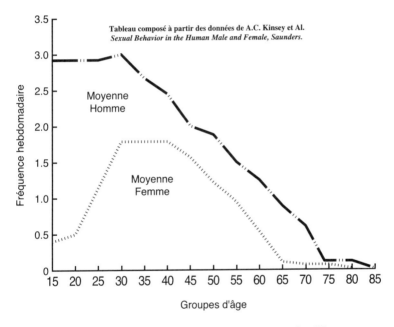

Figure 2. Fréquence orgasmique hebdomadaire selon l'âge.

Cette figure démontre les différences de nature et de quantité existant entre la sexualité masculine et la sexualité féminine. Sans entrer dans les détails des différences de qualité, disons qu'en général la sexualité de l'homme est plus visuelle, génitale, rapide, intense et «intrusive[2]» alors que celle de la femme est plus séductrice, sensuelle, retenue, globale et réceptive. Biologiquement, ces deux sexualités se complètent parfaitement mais, psychologiquement, elles sont plutôt sources de conflits. La raison est que les deux partenaires ignorent jusqu'à quel point l'autre est différent. J'espère que ce livre pourra combler une partie du fossé d'ignorance et d'incompréhension qui sépare les sexes.

Tout comme pour l'homme, la sexualité de la femme de plus de 40 ans peut être plus agréable qu'elle ne l'a jamais été et ce pour plusieurs raisons :

1. Si vous étiez déjà très active sexuellement avant votre ménopause, absolument rien biologiquement ne vous empêche de continuer à profiter d'une sexualité épanouie.

2. La ménopause coïncide généralement avec le départ de vos enfants ; ceci diminue d'autant votre charge de travail et de responsabilités, source de stress et de fatigue. Vous et votre mari pouvez maintenant profiter d'une plus grande intimité, de plus d'espace, de plus de temps et de plus d'argent pour vous occuper de vous deux : prendre le temps de vivre, avoir plus de distractions et de sorties, inviter des amis, faire des voyages…

3. Si, auparavant, vous aviez toujours peur de devenir enceinte, la ménopause fera disparaître cette peur et vous pourrez davantage vous laisser aller et cesser d'utiliser toute méthode contraceptive.

4. L'absence de menstruation et de SPM augmente le nombre de jours où vous pouvez avoir des jeux et des rapports sexuels.

5. En vieillissant, vous avez pris de l'expérience, vous êtes moins timide sexuellement, vous avez apprivoisé votre corps et celui de votre partenaire, vous avez appris à avoir du plaisir et à jouir, vos orgasmes sont plus faciles…

6. Vous vous êtes probablement débarrassée de tous les interdits et préjugés concernant la sexualité qu'adolescente vous aviez intégrés sous l'influence de votre éducation sexuelle répressive.

Si toutes ces conditions sont réunies et si, en plus, vous êtes heureuse avec votre partenaire, vous pouvez continuer de vous épanouir sexuellement en expérimentant de nouvelles façons de faire l'amour. Étant moins timide, vous pouvez davantage exprimer à votre partenaire vos besoins spécifiques, lui révéler vos fantasmes secrets afin de les réaliser et prendre beaucoup plus d'initiatives. En fait, c'est l'ensemble de votre communication sexuelle qui peut s'améliorer, si tel est votre désir.

Malgré tout cela, vous ne pouvez faire abstraction des changements physiologiques qui sont à la veille d'affecter votre corps de 50 ans. Voici donc comment évolue la sexualité féminine avec l'âge. Quatre catégories de modifications sexuelles sont susceptibles de se produire chez la femme âgée de plus de 40 ans : la première concerne ses hormones, la deuxième affecte sa fonction sexuelle physiologique, la troisième a trait à sa capacité orgasmique et la quatrième touche l'ensemble de son expérience sexuelle.

3.2 Les changements au niveau des hormones sexuelles

Les changements dus à l'âge chez l'homme se produisent lentement et graduellement. Les changements dus à l'âge chez la femme se produisent généralement de façon abrupte et s'étendent sur une période pouvant aller de trois à cinq ans, période appelée ménopause. La ménopause ne ressemble en rien à l'andropause, car celle-ci se fait sans changements soudains.

1. **Baisse du taux d'oestrogènes et de progestérone.** Les femmes sont soumises à de véritables tempêtes hormonales tout au long de leur vie et ces tempêtes modifient profondément, non seulement leur schéma corporel, mais aussi, comme tous leurs proches le savent, leurs humeurs. Ces tempêtes obligent les femmes à se réadapter continuellement à leur nouvel état hormonal et émotif.

La première a lieu à la puberté avec l'avènement des premières menstruations marquant l'acquisition de la maturité sexuelle de la femme ; cette première tempête se répète ensuite tous les mois, jusqu'à la ménopause, et est précédée d'un ensemble de symptômes appelé syndrome prémenstruel ou SPM. L'intensité du SPM est très variable d'une femme à l'autre et durant la vie d'une même femme. Pour plusieurs, cette intensité s'accompagne d'un état dépressif ou agressif diminuant l'estime de soi nécessaire à une sexualité épanouie.

Le corps de la femme produit, à partir de la puberté, des oestrogènes et de la progestérone. Les oestrogènes sont responsables du développement et de la santé de ses organes génitaux. Ils sont produits en plus grande quantité lors des deux premières semaines du cycle menstruel, avant l'ovulation ; puis leur production diminue progressivement jusqu'aux menstruations. Ils sont alors remplacés par une plus grande quantité de progestérone, l'hormone qui prépare la muqueuse utérine à l'implantation du foetus et assure le maintien de la grossesse. Si la fécondation n'a pas lieu, la production des deux hormones (oestrogènes et progestérone) chute dramatiquement ; l'utérus rejette alors la partie intérieure de la muqueuse utérine devenue inutile dans le processus de la menstruation. Le corps de la femme devient alors prêt pour un nouveau cycle.

Une seconde tempête a lieu à chaque fois que la femme devient enceinte. Au lieu de chuter, le taux de progestérone augmente et transforme le corps de la femme afin de faciliter la nidification du foetus et sa nutrition, avant et après la naissance (augmentation du volume des seins, lactation…). C'est aussi cette augmentation de progestérone qui cause les nausées des premiers mois et autres «caprices» de la femme enceinte. La grossesse, selon l'ouverture et l'intimité du couple, pourra devenir sexuellement épanouissante (recherche de nouvelles positions ou de nouvelles façons de faire l'amour sans pénétration...) ou éloignera les deux conjoints à cause de la transformation corporelle de la femme et de l'absence d'une communication sexuelle franche.

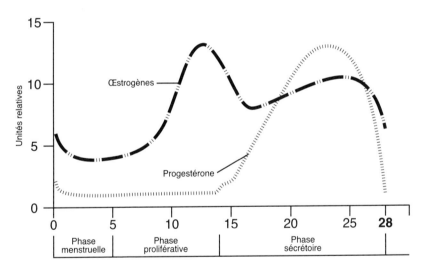

Figure 3. Fluctuation du taux d'oestrogènes et
de progestérone au cours d'un cycle menstruel.

Une troisième tempête, la ménopause, celle qui intéresse davantage le propos de ce livre, prend maintenant place. Pour la majorité des femmes, elle survient autour de 50 ans[3] et peut s'étendre sur une période de six mois à dix ans. Pour deux femmes sur trois, l'arrêt des règles survient entre 48 et 52 ans. La femme perd alors sa capacité de reproduction et de nombreux changements corporels la surprennent. Plusieurs symptômes physiques (bouffées de chaleur, fatigue, migraines…) et émotifs (anxiété, irritabilité, insomnie, dépression…) accompagnent le processus de la ménopause. Ces symptômes peuvent être plus ou moins intenses dépendant de l'état de santé physique, émotif et mental de la femme (environ 50 %); plusieurs femmes vivent une véritable dépression (25 %); d'autres ressentent à peine ces différentes modifications (25 %). La ménopause est provoquée par l'arrêt plus ou moins subit de la production hormonale par les ovaires. C'est aussi la baisse de production des oestrogènes et de la progestérone qui est la principale responsable des changements physiologiques que nous décrivons plus loin.

2. Influence accrue de la testostérone. Tout comme chez l'homme, c'est la testostérone produite par les ovaires et les glandes cortico-surrénales qui est responsable du désir sexuel de la femme. Comme le taux de testostérone ne change pas au cours de la ménopause, son désir sexuel devrait théoriquement non seulement se maintenir, mais augmenter car l'influence de la testostérone n'est plus contrecarrée par celle de la progestérone. On observe ce phénomène chez plusieurs femmes qui continuent d'avoir des rêves et des fantasmes sexuels, conservent leur capacité multiorgasmique et augmentent leur masturbation si leur partenaire n'est pas disponible. D'ailleurs, certaines femmes ont commencé à se masturber à cet âge.

Évidemment, l'influence de la testostérone pourra avoir d'autres effets secondaires plus ou moins désirables : augmentation de la pilosité (aisselles, jambes, pubis et lèvre supérieure), épaississement de la taille, augmentation de la masse musculaire, voix plus grave, perte de cheveux…

Au niveau psychologique, on remarque deux modifications comportementales très significatives :

1. Les femmes ménopausées développent généralement une plus grande confiance en elles-mêmes et leurs comportements deviennent plus affirmatifs, pour ne pas dire plus agressifs.

2. Les femmes qui, auparavant, entretenaient diverses phobies voient disparaître ces phobies sans raison apparente.

Ces observations amènent les neuropsychologues à confirmer le lien qui existe entre la testostérone, l'agressivité et l'intensité libidinale.

3.3 Les changements au niveau physiologique

3. **Lubrification vaginale plus lente et moins abondante.** La lubrification vaginale constitue le premier signe physiologique d'une excitation sexuelle. En cela, elle correspond à l'érection chez l'homme. À 25-30 ans, cette lubrification se manifeste de dix à trente secondes après le début d'une stimulation sexuelle, mentale ou physique, et, à moins d'exceptions, votre lubrification est suffisamment abondante pour permettre une pénétration rapide. À 50 ans, il se peut que vous ayez besoin de deux minutes et plus pour amorcer cette lubrification et il est fort possible qu'elle ne soit pas suffisante pour permettre une pénétration sans sensation désagréable. De plus, la crainte de ne pas être assez lubrifiée crée une tension musculaire limitant votre lubrification. Pour contrecarrer cette crainte, vous pourriez alors recourir à l'un ou l'autre des excellents lubrifiants solubles dans l'eau (K-Y jelly) qui existent sur le marché.

4. **Parois vaginales plus minces et moins élastiques.** Suite à la baisse de vos oestrogènes, les parois de votre vagin perdent de leur élasticité et s'amincissent. C'est cette grande élasticité qui permet à votre vagin de s'adapter à n'importe quelle grosseur de pénis lors de vos coïts. C'est aussi sa grande capacité d'expansion qui facilite le passage de vos bébés lors de vos accouchements. Cette perte d'élasticité se manifeste aussi au niveau de l'ouverture vaginale qui se rétrécit. De plus, votre vagin se raccourcit.

Dans certains cas, cette perte d'élasticité et cette diminution vaginale peuvent être tellement importantes que l'on parle d'une atrophie vaginale. L'hormonothérapie devient alors nécessaire sous peine de ressentir de la douleur lors de la pénétration ou sous l'impact des mouvements vigoureux du coït. Même les contractions orgasmiques peuvent devenir désagréables. Ce qui peut rendre très inconfortables vos relations sexuelles, provoquer un état de stress lors des approches de votre partenaire et vous amener à vouloir les éviter, même si, malgré tous ces désagréments, votre libido et vos intérêts sexuels restent les mêmes.

5. **Réduction de l'utérus et modification de son élévation.** À l'âge de la procréation, l'utérus a non seulement la forme d'une poire mais aussi à peu près sa grosseur. Après la ménopause, il garde sa forme mais reprend le volume qu'il avait avant la puberté, c'est-à-dire à peu près le tiers du volume adulte.

Au moment de l'orgasme, les observations de Masters et Johnson ont démontré que l'utérus se soulevait, entraînant avec lui la paroi supérieure du vagin. Après la ménopause, cette élévation perd beaucoup de son ampleur, en fonction de la réduction de l'utérus. Toutefois, comme l'utérus et les deux tiers internes du vagin possèdent peu de fibres sensorielles, la très grande majorité des femmes prend rarement conscience de ces modifications internes.

6. **Amincissement des lèvres externes.** Les lèvres externes, anciennement appelées grandes lèvres, sont constituées de tissus adipeux et ont sensiblement la même texture que la peau du scrotum de l'homme. Comme ce sont les oestrogènes qui nourrissent les organes génitaux et que ceux-ci sont en baisse lors de la ménopause, les lèvres externes perdent de leur adiposité et de leur texture pneumatique, sans toutefois perdre quoi que ce soit au niveau de leur sensibilité. La modification de votre vulve a parfois une influence négative sur la perception de vos organes génitaux.

7. **Engorgement plus léger des lèvres internes.** Les lèvres internes, anciennement appelées petites lèvres, correspondent au raphé péno-scrotal[5] et se gonflent de sang lors de l'excitation sexuelle ; au moment de l'orgasme, leur couleur se rapproche de celle du gland de l'homme. Au même titre que le pénis de l'homme perd de sa fermeté et de sa dureté, les lèvres internes de la femme ne s'engorgent plus aussi intensément de sang, sans toutefois, elles aussi, perdre quoi que ce soit au niveau de leur sensibilité.

8. **Aucune modification du clitoris.** La seule modification que peut subir votre clitoris est une légère augmentation de son temps de réaction, de l'ordre de quelques secondes, avant d'être en érection. Il peut aussi exiger des stimulations physiques plus directes pour obtenir le même résultat. Mais tant au niveau de sa structure anatomique qu'au niveau de sa sensibilité et de sa réactivité, il conserve tous ses attributs dont le principal : être la plus grande source de votre plaisir sexuel et le moyen le plus rapide et le plus efficace d'atteindre l'orgasme, du moins pour 75 à 85 % des femmes. Les autres, soit de 15 à 25 %, orgasment par la stimulation vaginale.

9. **Affaissement des seins.** Tout comme le reste de votre corps, vos seins perdront probablement une partie de leur élasticité et seront davantage portés à suivre la loi de la gravité. De plus, ils ne

gonfleront plus autant sous l'effet de l'excitation sexuelle qu'ils avaient l'habitude de le faire autour de la trentaine. Par contre, vos mamelons conserveront leur capacité de venir en érection et leur sensibilité lors de caresses. Vous aimiez qu'on caresse vos seins avant votre ménopause, vous continuerez d'en apprécier les sensations après celle-ci à moins que votre attitude face à ceux-ci devienne trop négative.

L'hormonothérapie peut diminuer fortement les modifications physiologiques de vos organes génitaux. Toutefois, chaque femme, en collaboration avec son gynécologue, doit trouver le dosage d'hormones qui lui convient le mieux. Si le dosage est trop élevé, il est fort possible que vos mamelons deviennent hypersensibles. Il y a évidemment d'autres symptômes à un surdosage, mais l'hypersensibilité de vos mamelons constitue un excellent indice dont il faut parler à votre gynécologue. Rappelons toutefois que de faibles saignements mensuels ou bimestriels perdurent durant l'hormonothérapie.

3.4 Les changements au niveau de l'expérience orgasmique

10. **Contractions orgastiques moins intenses.** Les sexologues utilisent le terme orgastique pour décrire les réactions physiologiques et le terme orgasmique pour décrire la perception subjective des sensations provoquées par les réactions orgastiques. Les observations en laboratoire démontrent que la force des contractions orgastiques de votre vagin tend à diminuer avec l'âge et que celles-ci deviennent plus courtes. Par contre, lorsque questionnées, les femmes ne rapportent aucune différence au niveau de la perception orgasmique de ces contractions.

11. **Effet de creux incomplet ou tardif.** À l'état neutre, les parois de votre vagin sont très rapprochées. Au fur et à mesure que vous êtes excitée sexuellement, le tiers externe de votre vagin s'engorge de sang, rétrécissant ainsi votre ouverture vaginale. Ce rétrécissement accentuera le frottement sur le pénis de votre partenaire. Pendant ce temps, les deux tiers internes de votre vagin se gonflent comme un ballon que l'on souffle tandis que votre utérus s'élève, ce qui a pour effet de créer comme un réservoir pour recevoir le sperme ; les sexologues appellent ce phénomène « effet de creux ». Quand votre partenaire vous pénètre, il a la sensation d'un passage étroit au début de la pénétration, puis il a l'impression de tomber dans le vide, impression due à cet effet de creux.

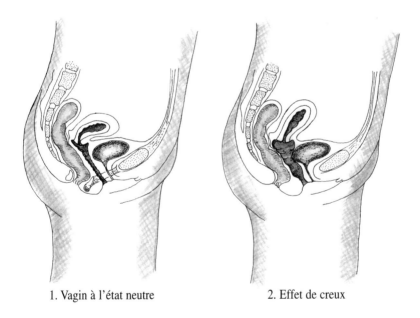

1. Vagin à l'état neutre   2. Effet de creux

Figure 4. Effet de creux du vagin.

En vieillissant, cet effet de creux continue d'exister, mais il possède une amplitude réduite ou se fait plus tardivement, juste avant le moment de votre orgasme, au même titre que le pénis de votre partenaire atteint le summum de sa dureté juste avant son éjaculation.

12. **Diminution de la myotonie et de la myoclonie.** Il existe deux mécanismes musculaires réflexes lors du cycle des réactions sexuelles. Le premier, la myotonie[6], se manifeste par une tension généralisée de toute la musculature de votre corps, ce que les psychologues bioénergéticiens appellent l'arc réflexe, c'est-à-dire que votre corps devient tendu comme un arc, en attente de l'orgasme; cette myotonie augmente au fur et à mesure de votre excitation sexuelle. Le deuxième, la myoclonie[7], se déclenche au moment des contractions musculaires involontaires de l'orgasme; ces contractions sont généralement au nombre de 5 à 15 et se manifestent aux 0.8 de seconde, les premières étant les plus fortes et les suivantes de moins en moins intenses.

De la même façon que l'ensemble de votre corps perd de sa force musculaire en parallèle avec son vieillissement, la myotonie et la myoclonie perdent de leur intensité. Par contre, beaucoup de femmes ne s'en rendent jamais compte car elles ont souvent commencé à orgasmer tardivement et ne sont pas en mesure de comparer l'intensité vécue à 55 ans avec celle qui peut être vécue à 30 ans. D'autres femmes, qui se sont mises à l'activité physique tard dans leur vie ou qui ont commencé à faire les exercices de Kegel[7] de façon régulière, peuvent compenser les effets de l'âge sur leur état musculaire et ne jamais sentir cette perte d'intensité musculaire.

13. **Sensations érotiques moins intenses.** Dans le même ordre d'idées, les femmes qui ne font pas d'exercice physique (style aérobic) ou ne pratiquent pas les fameux exercices de Kegel pour conserver leur musculature sexuelle en bonne forme, ces femmes verront diminuer progressivement l'intensité des sensations érotiques provoquées par la myotonie et la myoclonie orgasmique. Les femmes les plus actives physiquement ne se rendront peut-être jamais compte d'une diminution de cette intensité tout simplement parce qu'elle ne se fera pas ou sera trop minime pour être perceptible.

14. **Phase de résolution accélérée.** Masters et Johnson ont décomposé le cycle des réactions sexuelles de la femme en quatre étapes: la phase de l'excitation, la phase de plateau, l'orgasme et la période de résolution, telles qu'on peut les voir dans le tableau suivant:

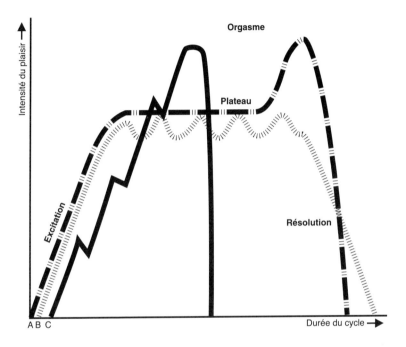

Figure 5. Courbe de la réponse sexuelle chez la femme avec quelques variations.

La courbe A est de loin la plus fréquente. La courbe B présente une excitation progressive suivie de brefs orgasmes et d'une phase de résolution lente. La courbe C présente une montée rapide vers un orgasme prolongé, mais une courte période de résolution. Contrairement aux hommes, les femmes ne possèdent pas de période réfractaire quoique le clitoris de certaines femmes devienne si sensible qu'elles préfèrent ne plus avoir de caresse clitoridienne pendant une période plus ou moins longue. Chacune de ces phases dure plus ou moins longtemps dépendant de l'intensité de l'excitation et de l'état physique et psychologique de la femme.

Après la ménopause, la période de résolution est généralement accélérée, le retour à l'état neutre se fait beaucoup plus rapidement qu'avant la ménopause ; tout comme chez l'homme, la détumescence de ses organes génitaux est plus rapide passé l'âge de 40 ans.

15. Aucune modification de la capacité multiorgasmique. Bonne nouvelle, votre capacité à vivre plusieurs orgasmes lors d'une même relation sexuelle n'est aucunement affectée ; elle est même parfois augmentée à cause de l'influence accrue de votre testostérone. Toutefois, même si toutes les femmes possèdent, contrairement à l'homme, la possibilité multiorgasmique, ce ne sont pas toutes qui l'exploitent ou qui désirent le faire. Un grand nombre de femmes sont pleinement satisfaites par un seul orgasme.

3.5 Les changements au niveau de l'expérience sexuelle globale

16. Baisse ou augmentation significative de la libido. Les études sur le comportement sexuel de la femme ménopausée ont mis en évidence un phénomène très particulier : des femmes voient leur libido fortement augmenter alors que c'est le contraire chez d'autres.

L'explication de l'augmentation de la libido est liée à la tempête hormonale que vivent les femmes lors de leur ménopause. La baisse de production des oestrogènes et l'arrêt de production de progestérone laissent plus de place à l'influence de la testostérone qui est directement associée à l'intensité du désir sexuel. Biologiquement parlant, toutes les femmes devraient donc vivre alors une certaine augmentation de leur libido et, partant, une augmentation de leur fréquence sexuelle, avec leur partenaire ou avec elles-mêmes : certaines découvrent même leur sexualité à cet âge et d'autres redécouvrent une deuxième jeunesse.

Comment se fait-il alors que certaines femmes voient au contraire leur libido diminuer, de même que leur fréquence sexuelle? La raison est parfois d'ordre biologique: chez certaines femmes, une diminution de la production de testostérone accompagne, sans qu'on sache trop pourquoi, la baisse de production d'oestrogènes et de progestérone, provoquant ainsi une baisse de la libido; ce phénomène est toutefois relativement rare. L'adaptation à l'hormonothérapie (ajustement du taux optimal et du dosage d'oestrogènes, de progestérone et de testostérone) peut aussi contrecarrer l'influence de la testostérone.

La plupart du temps, toutefois, les raisons de la baisse de la libido sont plutôt d'ordre psychologique:

1. la perte du désir est consécutive au désagrément ressenti lors des relations sexuelles dû à la diminution de la lubrification, au rétrécissement du vagin ou à des conditions telles l'arthrite, l'arthrose ou l'ostéoporose précoce;

2. d'autres femmes n'ont jamais vraiment eu de plaisir à faire l'amour et utilisent le prétexte de la ménopause pour diminuer encore plus leur fréquence sexuelle;

3. d'autres croient, faussement, que la sexualité disparaît avec la fin de la période de procréation;

4. d'autres vivent des relations conjugales difficiles et cessent d'avoir des rapports sexuels pour exercer de la pression ou une certaine vengeance, plus ou moins consciente, sur leur partenaire;

5. d'autres, enfin, deviennent obsessivement préoccupées par leur image corporelle:

«Je regardais à la loupe, disait Renée, apparaître mes rides, mes plis, mes cheveux gris, ma cellulite; je voyais disparaître ma taille et tomber mes seins... et je me demandais comment je pouvais encore plaire à mon partenaire».

Une baisse de libido arrive parfois durant la préménopause. Les fluctuations hormonales de cette période provoquent de la fatigue, de l'insomnie et des sautes d'humeur. La libido peut alors être influencée négativement. Connaître ce phénomène, le comprendre, l'accepter et en parler avec son partenaire permettent de dédramatiser la situation.

Règle générale, après une augmentation légère et temporaire de la libido chez la femme ménopausée, le désir sexuel diminue progressivement par la suite.

17. **Très forte influence des facteurs psychosociaux.** Plusieurs recherches démontrent que seules les femmes n'ayant jamais éprouvé beaucoup de plaisir sexuel au cours de leur vie, les femmes vivant des relations conjugales difficiles ou celles ayant des problèmes d'ordre psychologique importants concernant la sexualité utilisent la ménopause comme prétexte pour mettre fin à la sexualité du couple. Ce qui laisse croire aux psychologues que les femmes sont, beaucoup plus que les hommes, fortement influencées par les facteurs psychosociaux entourant la sexualité.

Certaines femmes cessent toute activité sexuelle parce que l'image qu'elles ont de leur corps ne correspond plus aux canons de la beauté. Notre société associant sexualité, jeunesse et beauté, seules les femmes jeunes et belles ont droit à une sexualité active et épanouie. Beaucoup de femmes de 40 ans deviennent complexées parce qu'elles pensent qu'elles ne sont plus ni jeunes, ni belles. Elles vont du chirurgien esthétique au studio de conditionnement physique dépenser des fortunes et souffrir le martyre pour essayer de conserver un corps jeune et svelte; elles surveillent l'apparition de chaque ride ou de chaque cheveu gris et courent acheter des crèmes antirides à 100$ le gramme; elles prennent des rendez-vous chez le coiffeur pour se faire teindre les cheveux en blond pour dissimuler leurs cheveux blancs; elles font tout pour essayer de cacher leur corps vieillissant et entretenir l'illusion de la fontaine de Jouvence.

Pourtant, il n'y a qu'une seule solution: accepter son corps vieillissant, continuer de le mettre en valeur avec ses rides actuelles, ses nouvelles couleurs et s'adapter aux changements corporels et sexuels dus à l'âge afin d'augmenter le plaisir de vivre. Ce n'est pas en luttant contre la mort que l'on peut augmenter son plaisir de vivre; c'est en acceptant sa propre mort que l'on peut évaluer la beauté de la vie et en profiter en attendant l'inévitable. Ce qui ne veut pas dire de cesser toute activité physique ou de ne pas prendre certaines précautions.

3.6 Conseils préliminaires

Même si, en vieillissant, votre corps ne répond plus à vos critères de beauté, vous possédez quand même plusieurs options pour continuer d'avoir des expériences sexuelles agréables et vous aider à conserver un vagin en santé.

1. Soyez la plus active possible au niveau sexuel. On dit que la fonction crée l'organe; or, l'activité sexuelle régulière (une à deux fois par semaine) entretient l'état de santé de vos organes génitaux et ralentit les effets de l'âge sur ceux-ci.

2. Si vous n'avez pas de partenaire régulier, rien ne vous empêche d'avoir recours à la masturbation, sauf votre éducation

sexuelle négative. Il existe sur le marché d'excellents vibrateurs dildos[8] ou godemichés[9] que vous pouvez vous procurer dans les « sex shops » ou commander par catalogue[10] si vous êtes trop gênée pour faire la démarche vous-même. Vous pourrez ainsi insérer ces pénis substituts dans votre vagin pour empêcher celui-ci de se rétrécir ou se raccourcir. Les recherches ont démontré que les femmes ménopausées qui vivaient une longue période d'abstinence sexuelle éprouvaient de multiples difficultés (tant physiques que psychiques) à recommencer une vie sexuelle active.

3. Une bonne façon de vous garder en bonne forme sexuelle et de conserver votre tonus vaginal est de pratiquer régulièrement les exercices de Kegel. Ces exercices ont été développés pour vous préparer à l'accouchement et aider votre vagin à retrouver son état antérieur après l'accouchement. Les femmes se sont vite rendu compte des effets positifs qu'ils avaient sur leur plaisir sexuel. Ces exercices sont décrits en détail au chapitre 6.

4. Si votre lubrification vaginale tarde à se faire ou n'est pas suffisamment abondante, vous pouvez utiliser des lubrifiants. Vous pouvez les retrouver dans les mêmes « sex shops » que les dildos ou dans n'importe quelle pharmacie. Quoique les lubrifiants à base de pétrole ou de vaseline soient les plus répandus, ils ne sont pas conseillés car ils ne sont pas solubles et peuvent donc boucher vos pores de peau et même votre urètre. Vous pouvez toujours utiliser des huiles végétales telles l'huile de maïs ou de tournesol, mais elles peuvent tacher les draps. Il existe des huiles et crèmes créées spécifiquement pour les jeux sexuels[11].

J'aurai l'occasion, dans les chapitres ultérieurs, de vous présenter d'autres éléments pour vous aider à entretenir votre libido et une vie sexuelle active.

C h a p i t r e
4

L'hormonothérapie
de remplacement

4.1 L'hormonothérapie aux oestrogènes

Une femme sur quatre souffre de façon sévère d'une baisse importante de la production d'oestrogènes si elle ne prend pas des hormones de remplacement. Mais toutes les femmes n'acceptent pas de prendre des hormones de remplacement parce que celles-ci peuvent avoir des effets secondaires assez importants. Par contre, l'attitude générale des gynécologues, devant l'efficacité de l'hormonothérapie, est de proposer aux femmes d'en faire l'essai pour une période de six mois avant de prendre une décision finale.

Avant les années 50, la ménopause était considérée comme un phénomène naturel et irréversible. Les femmes devaient en supporter les symptômes, prendre des sédatifs et faire de l'exercice. Telle était l'attitude de la médecine à cette époque. Aujourd'hui, les substituts d'oestrogènes sont facilement disponibles et les recherches ont rapidement démontré que non seulement l'hormonothérapie diminuait les symptômes de la ménopause mais qu'elle pouvait aussi prévenir les modifications vaginales, l'ostéoporose, l'artériosclérose et les maladies cardiaques.

L'ostéoporose atteint environ 25 % des femmes de race blanche, surtout celles qui ont une faible ossature, qui fument ou qui ont une propension héréditaire à cette maladie. L'ostéoporose se manifeste par une diminution importante de calcium dans les os, rendant ceux-ci très friables. Le nombre de femmes souffrant d'artériosclérose (durcissement progressif des artères) et risquant des crises cardiaques augmente rapidement après la ménopause et atteint progressivement le même niveau que celui de leurs partenaires masculins.

D'un autre côté, comme l'hormonothérapie composée uniquement d'oestrogènes augmentait le risque de cancer de l'utérus, on y ajouta de la progestérone. On diminua ainsi le cancer de l'utérus provoqué par la prise exclusive d'oestrogènes et on diminua en parallèle l'atrophie vaginale, la perte de lubrification vaginale et la fracture des hanches due à l'ostéoporose. L'hormonothérapie aux deux hormones semble aussi protéger la femme contre les risques de cancer du sein.

L'hormonothérapie s'administre par voie orale, par « timbres » collés sur les fesses, par gel appliqué sur le corps ou, découverte plus récente, en insérant un anneau dans le vagin, anneau qui libère des oestrogènes en faible quantité pendant 90 jours. Vous en prenez pendant les vingt-cinq premiers jours suivis d'une période d'abstinence de cinq jours. Évidemment, vous ne devez prendre ces hormones que si votre gynécologue vous le recommande et s'il vous suit régulièrement. Votre gynécologue est le spécialiste le mieux placé pour réagir rapidement s'il survient des réactions imprévues et vous faire passer tous les tests de routine nécessaires à la prévention. Il sera aussi en mesure d'évaluer si vous faites partie de certaines catégories de femmes qui ne devraient pas prendre d'hormones de remplacement. Un Pap test annuel est fortement conseillé.

Selon Saul H. Rosenthal, psychiatre fondateur de la clinique de thérapie sexuelle de San Antonio, Texas, et auteur de *Sex Over Forty*[1], les femmes qui souffrent de l'une ou l'autre des conditions suivantes devraient s'abstenir de prendre des hormones à cause des risques élevés de complications:

- infarctus du myocarde (crise cardiaque);
- thrombophlébite (inflammation des parois d'une veine à cause du risque de formation d'un caillot de sang dans un vaisseau sanguin ou dans le coeur);
- pertes sanguines vaginales d'origine inconnue;
- cancer du sein;
- embolie pulmonaire (oblitération brusque d'une alvéole par un corps étranger, tel un caillot de sang);
- hépatite, maladies du foie ou de la vésicule biliaire;
- migraines chroniques;
- sclérose multiple (durcissement de tissu ou d'un organe);
- hypertension et épilepsie;
- endométriose (durcissement de la muqueuse utérine);
- hyperlipidémie (haut taux de gras dans le sang).

En prenant des hormones de remplacement, vous rétablissez en fait votre cycle menstruel comme il l'était avant votre ménopause, c'est-à-dire que vous aurez fort probablement de légères menstrues lors de votre période d'abstinence. Les questions que vous devriez vous poser pour décider si oui ou non vous désirez suivre une hormonothérapie sont les suivantes:

1. Suis-je désireuse de m'astreindre à prendre des pilules ou d'avoir un «timbre» sur l'une de mes fesses pour une bonne partie du reste de ma vie?

2. Vais-je tolérer un écoulement sanguin, même minime, à tous les mois ?

3. Ai-je des contre-indications héréditaires, familiales ou personnelles ?

Que vous optiez ou non pour l'hormonothérapie, rappelez-vous que la décision finale vous appartient. Selon Stefan Bechtel, auteur de *The Practical Encyclopedia of Sex and Health*[2], vous devriez tenir compte des avantages et des risques suivants dans votre prise de décision.

1. Disparition de vos chaleurs, sueurs nocturnes, sécheresse et démangeaisons vaginales.

2. Disparition des douleurs lors du coït vous permettant de jouir à nouveau des pénétrations de votre partenaire.

3. Diminution des risques de maladies coronariennes et d'attaques cardiaques.

4. Augmentation du « bon » cholestérol de 30 % et diminution du « mauvais » cholestérol de 20 %.

5. Diminution des risques de fracture de la hanche dus à l'ostéoporose de 60 %.

6. Diminution du risque de la maladie d'Alzheimer qui est de deux à trois fois plus élevé chez la femme que chez l'homme.

7. Amélioration de la mémoire à court terme, du sens de l'orientation et de la capacité de calcul mental.

8. Diminution du taux de mortalité de 37 % pendant les dix premières années de la prise d'hormones et de 20 % après dix ans (d'après une étude d'une durée de 16 ans rapportée par le *New England Journal of Medecine*).

Comme vous pouvez le constater, les avantages scientifiquement prouvés sont loin d'être limités à la sphère sexuelle.

Il y a évidemment des effets secondaires négatifs; les principaux sont:

1. Augmentation du risque du cancer de l'endomètre de l'utérus.

2. Accélération d'un cancer du sein préexistant.

3. Perpétuation de légères menstruations.

4. Nausées, rétention d'eau, mamelons sensibles.

5. Haute pression provoquée par les oestrogènes et irritabilité due à la progestérone.

6. Augmentation du risque de cancer du sein après cinq ans.

4.2 L'hormonothérapie aux androgènes

La prise d'oestrogènes et de progestérone a souvent comme effet de diminuer la libido. Pour contrecarrer cet effet secondaire indésirable, on ajoute des androgènes, y compris de la testostérone, à l'hormonothérapie. Les effets positifs sont rapides et surprenants:

1. Retour de votre désir sexuel.

2. Augmentation de votre bien-être général, de votre niveau d'énergie et de votre vivacité d'esprit.

3. Stimulation de l'appétit.

4. Renforcissement des os et de la musculature.

Toutefois, certains effets secondaires négatifs importants peuvent amener certaines femmes à refuser l'ajout d'androgènes dans leur hormonothérapie. Ce sont surtout : peau graisseuse, acné, hirsutisme, gain de poids, réactions hépatiques (foie), augmentation du mauvais cholestérol, atrophie vaginale, agressivité.

L'opinion médicale la plus largement répandue est que les effets négatifs de l'hormonothérapie sont grandement compensés par les effets positifs, même si actuellement on n'en connaît pas encore les effets à long terme. D'après l'Institut national de la santé américain, les maladies cardiaques tuent chaque année six fois plus de femmes que le cancer du sein ; il semble donc préférable d'utiliser l'hormonothérapie même si celle-ci augmente légèrement le risque du cancer du sein.

Il existe toutefois des médecins et autres intervenants conservateurs qui croient que l'on ne devrait pas aller à l'encontre de la nature : si la femme ménopausée ne produit plus d'oestrogènes, c'est que la nature en a décidé ainsi et que c'est mieux ainsi.

C'est la position, entre autres, du naturopathe Daniel Crisafi[3] qui est aussi docteur en biochimie de la nutrition. Ce dernier se montre très sceptique vis-à-vis de l'hormonothérapie et de ses supposés effets anti-ostéoporose et anti-crises cardiaques. D'après lui, dans plusieurs pays moins riches que les nôtres, les femmes traversent le 3e âge tout naturellement et en santé, sans hormones de remplacement, alors que les femmes nord-américaines demeurent les championnes mondiales au chapitre de ces deux maladies. Pour lui, la ménopause est une étape naturelle de la vie, plutôt qu'une maladie, et on devrait la traiter comme telle en préconisant une approche naturelle basée sur un changement dans nos habitudes alimentaires et des suppléments à base de plantes, si nécessaire.

La décision vous appartient, mais rappelez-vous que la ménopause n'est qu'une étape parmi d'autres que les femmes doivent ou devront vivre. C'est l'attitude globale que vous avez face à la vie et à votre vie qui déterminera votre goût profond et viscéral de continuer votre vie sexuelle avec votre ou vos partenaires. Conserver votre santé physique et mentale va de pair avec votre goût de profiter de la vie et de la sexualité longtemps, longtemps…

2

Deuxième
partie

Devenir un(e)
meilleur(e)
amant(e)
après 40 ans

Chapitre

5

S'aider
l'un l'autre

En grande majorité, nous vieillissons en couple. En tant que couple, nous pouvons devenir de réels complices nous entraidant l'un l'autre ou, au contraire, devenir des ennemis intimes nous détruisant l'un l'autre. Saviez-vous que le verbe aimer n'est apparu dans la langue française qu'au XVe siècle ? Au Moyen-Âge, on disait aider et non aimer. Le véritable amant est donc celui ou celle qui veut aider son partenaire à être heureux. Devant le processus de vieillissement, nous pouvons nous apporter une aide réciproque inestimable ou nous rendre la vie infernale. Ce chapitre s'adresse aux couples qui s'aiment et qui veulent s'entraider.

5.1 Ce que la femme peut faire
pour aider son partenaire

Vous savez maintenant quels sont les changements qui surviennent ou surviendront chez partenaire et les réactions psychologiques qu'il risque de vivre. Vous pouvez vous blâmer vous-même pour la baisse de libido de votre partenaire ou la perte de sa spontanéité érectile en entretenant les autoverbalisations suivantes : «M'aime-t-il encore ? Me désire-t-il encore ? Est-il tanné de moi ? A-t-il une maîtresse ? » Mais ce faisant, non seulement vous vous torturez, mais vous pouvez aggraver les réactions psychologiques de votre partenaire et provoquer ce que vous craignez. Relisez le chapitre premier et prenez conscience que vous n'êtes probablement pas en cause au tant que vous le croyez.

Il vous faut donc accepter et comprendre les changements de votre partenaire si vous voulez l'aider à conserver une sexualité active. Vous pouvez le faire de multiples façons, mais grosso modo, comprenez que votre partenaire a maintenant besoin d'une plus grande stimulation physique pour être excité et obtenir une érection. L'érection constitue pour l'homme le signe physique visible qu'il est excité ; il peut difficilement faire l'amour s'il n'est pas en érection. D'où toute l'importance que prend l'érection pour lui, car sans érection, pas de pénétration possible.

De ce côté, la femme est avantagée. Vous n'avez pas besoin d'être fortement excitée pour faire l'amour ; souvent, votre excitation se développe en cours de route. Vous pouvez aussi faire l'amour même si vous êtes préoccupée par autre chose ; vous pouvez accepter de faire l'amour pour faire plaisir à votre partenaire, même si vous n'avez aucun désir d'orgasme : vous n'avez besoin que d'un minimum de lubrification pour permettre la pénétration. De toute façon, votre vagin conserve toujours un minimum de lubrification, même à l'état neutre. Un peu de salive ou de lubrifiant et la pénétration devient possible.

Tel n'est pas le cas pour votre partenaire. Vous pouvez donc grandement l'aider en compensant sa perte de spontanéité érectile par une plus grande initiative de votre part et en accordant davantage de caresses à ses organes génitaux. Il se peut qu'il se refuse à vous plus souvent qu'auparavant (s'il l'a déjà effectivement fait), mais ne prenez pas ce refus comme un rejet, ni comme une perte de désir pour vous. Il se peut qu'il soit tout simplement aux prises avec sa crainte de ne pas être à la hauteur et la peur de ne pouvoir vous satisfaire à chaque relation. Persévérez et revenez plus souvent à la charge. Démontrez-lui que peu importe ce qu'il arrive, vous continuez de l'aimer, de le désirer et d'être bien avec lui.

Votre attitude face à la sexualité peut faire une grande différence dans le comportement sexuel de votre partenaire. Si vous êtes ouverte à l'expérimentation sexuelle, si vous prenez l'initiative et coopérez, si vous l'écoutez et le respectez dans l'expression de ses craintes face à sa sexualité…, vous prolongerez certainement sa vie sexuelle. Si, au contraire, vous êtes réticente à la sexualité, si vous tournez en dérision ses «échecs» ou si vous mettez de la pression pour qu'il obtienne et maintienne ses érections, ne soyez pas surprise s'il devient impuissant ou aille voir ailleurs.

J'ai eu l'occasion de rencontrer en thérapie des femmes qui n'acceptaient que la pénétration comme façon de faire l'amour et d'atteindre l'orgasme. Ces femmes ne se laissaient pas aller à la caresse manuelle ou buccale de leurs organes génitaux ou à l'utilisation occasionnelle d'un vibrateur; certaines considéraient même l'orgasme clitoridien comme inférieur. Le message de ces femmes était très clair: il n'y a qu'une seule façon de me plaire: «Tu dois venir en érection, me pénétrer et me faire jouir avec ton pénis. Toute autre façon de faire n'est pas acceptable.» Imaginez la pression exercée sur son partenaire.

Voici quelques conseils (vous les connaissez probablement déjà) que vous pouvez utiliser pour aider votre partenaire à obtenir des érections et les conserver:

1. Prenez l'initiative plus souvent, mais acceptez qu'il puisse vous refuser.

2. Créez une atmosphère romantique : musique, lumière tamisée, encens…

3. Faites l'amour plus souvent le matin ou en début d'après-midi plutôt que tard en soirée au moment où il est le plus fatigué et qu'il risque le plus d'avoir de la difficulté à venir en érection ou à atteindre l'orgasme.

4. Ayez toujours une huile lubrifiante près du lit pour faciliter la pénétration lorsque votre partenaire n'est pas complètement en érection ou que votre lubrification est défaillante.

5. Faites-lui comprendre que vous appréciez les jeux sexuels même s'il n'est pas en érection.

6. Demandez-lui de se laisser faire, de relaxer et d'accepter que vous lui fassiez l'amour, autrement dit aidez-le à devenir plus réceptif sans se sentir coupable.

7. Acceptez qu'il puisse vous faire jouir manuellement, oralement ou à l'aide d'un vibrateur, sans même qu'il soit en érection. Il pourra ainsi se revaloriser en sachant qu'il peut encore vous donner du plaisir.

8. Redites-lui que vous avez autant de plaisir dans les jeux sexuels que dans la pénétration, la plupart des hommes étant très préoccupés par la pénétration.

9. Utilisez les différents types de massage érotique pour l'aider à relaxer.

10. Rappelez-vous que les parties les plus sensibles du pénis sont le gland, la couronne du gland, le frein et les deux côtés

à la base du corps du pénis, soit la partie que vous pouvez enserrer avec le tiers externe de votre vagin lorsqu'il est en profonde pénétration. Caressez ces différentes parties très légèrement avec le bout de vos doigts ou de vos ongles.

11. Partez à la recherche de toutes ses zones érogènes, particulièrement ses mamelons qui, chez beaucoup d'hommes, deviennent plus sensibles au fur et à mesure qu'ils vieillissent. Léchez-les, titillez-les, pincez-les en même temps que vous caressez son gland : vous, vous savez ce qu'il peut ressentir.

12. Caressez ses organes génitaux à l'aide de vos deux mains, l'une enveloppant gentiment son scrotum, l'autre exerçant un lent mouvement de va-et-vient le long de son pénis. Vous pouvez évidemment utiliser votre bouche plutôt que votre deuxième main pour stimuler son pénis et particulièrement son gland. Rares sont les hommes qui peuvent résister à une telle caresse.

13. Prenez son pénis flasque dans votre bouche et stimulez-le avec vos lèvres, votre langue, vos dents jusqu'à pleine érection et montrez votre fierté d'avoir provoqué une telle réaction. Jouez avec comme si c'était un « joystick[1] ».

14. Si, malgré tout, il continue d'avoir de la difficulté à obtenir une érection, changez-lui les idées en lui disant le plaisir que vous avez à le caresser ainsi. Complimentez-le : dites-lui que vous aimez la douceur de sa peau et l'odeur de son pénis ; rappelez-lui les expériences érotiques particulièrement agréables que vous avez déjà eues avec lui ; parlez-lui de vos fantasmes ; dites-lui que vous êtes sexuellement comblée avec lui... tout cela pour distraire son esprit de ses préoccupations de performance et faire baisser son anxiété.

15. Vous pouvez aussi utiliser une technique qui fonctionne très bien en thérapie sexuelle et qui est basée sur le principe du paradoxe[2] : l'interdiction de procéder à la pénétration, même s'il obtient la plus dure des érections. Exprimez-lui votre désir d'être caressée et de le caresser, mais que vous n'avez pas le goût d'être pénétrée. La raison importe peu ; ce qui compte, c'est qu'il cesse d'être préoccupé par la nécessité de la pénétration, donc de l'érection. Il pourra ainsi se laisser davantage aller et laisser ses érections aller et venir.

16. Jouez avec son érection. Les hommes s'imaginent que dès qu'ils sont en érection, ils doivent nécessairement la maintenir jusqu'à la pénétration et l'orgasme. Faites tout ce que vous savez pour qu'il vienne en érection, puis distrayez-le en lui parlant ou en le caressant ailleurs que sur ses organes génitaux, jusqu'à ce qu'il ait perdu son érection. Puis recommencez à caresser ses organes génitaux jusqu'à une nouvelle érection. Reprenez une pause et recommencez quelques minutes plus tard. Il pourra ainsi apprendre à défaire l'équation : excitation-érection-pénétration-orgasme (le sien et le vôtre). Il apprendra que « perdre son érection n'est pas la fin du monde ».

17. Dites-lui que vous êtes contente qu'il n'ait pas orgasmé car vous allez pouvoir recommencer plus rapidement.

18. Demandez-lui de s'étendre sur le dos et de se laisser aller ; apportez un bassin d'eau chaude, une débarbouillette, du savon, une serviette et lavez ses organes génitaux.

19. Inondez son pénis de milliers de baisers.

Quoique l'homme âgé soit plus sensible au contexte romantique et érotique que le jeune homme, rappelez-vous que la sexualité de celui-ci est d'abord, contrairement à vous, d'ordre physique. Il a de plus en plus besoin d'être touché et caressé pour être excité. À 18 ans, la seule pensée d'un acte sexuel ou le fait de savoir que vous étiez réceptive l'amenait dans un état intense d'excitation. À 60 ans, même s'il continue de vous aimer, il a besoin d'une plus grande stimulation physique pour obtenir la même excitation. N'oubliez surtout pas ce «Sésame, ouvre-toi».

N'abordez pas avec lui, et encore moins en public, ses «problèmes» d'érection. Selon la loi du paradoxe déjà citée, vous ne feriez qu'empirer les choses. À moins, évidemment, que l'absence d'érection ne soit devenue chronique et qu'il n'ait pas eu d'érection depuis des semaines ou des mois, y compris l'absence d'érection nocturne et matinale[3], ce qui serait alors signe d'un problème d'ordre physique (baisse du taux de testostérone, maladie, effets iatrogènes[4]…). Il faudrait lui suggérer, de façon très diplomatique, de consulter un urologue et lui proposer de l'accompagner. Plus l'homme vieillit, plus l'origine de ses difficultés érectiles est d'ordre physique (mécanique, physiologique ou hormonal). L'anxiété consécutive vient évidemment renforcer les impuissances d'ordre physique, d'où la nécessité probable de consulter un thérapeute sexuel dans un deuxième temps. Si la diplomatie ne fonctionne pas, prenez les grands moyens : menacez-le de le quitter, mais assurez-vous auparavant d'être prête à le faire s'il ne bouge pas.

5.2 Ce que l'homme peut faire pour aider sa partenaire

Contrairement à l'homme qui voit la spontanéité de ses érections ralentir et diminuer son désir pour les activités sexuelles, il se peut fort bien que la femme, de son côté, soit plus réceptive que jamais, que sa réponse orgasmique n'ait jamais été aussi facile et que son désir de relations sexuelles n'ait jamais été aussi intense. Si la sexualité de l'homme en vieillissant se rapproche de celle de la femme, l'inverse est aussi vrai : la génitalité de la femme se développe en vieillissant. D'ailleurs, par le passé, plusieurs femmes n'ont commencé à se masturber et à connaître l'orgasme qu'après leur ménopause. Ceci est encore vrai aujourd'hui.

J'ai eu, à maintes reprises, l'occasion de constater que les jeunes couples font l'amour selon la méthode « masculine ». Chez le jeune homme, la libido est intense et les réactions rapides ; celui-ci s'imagine que sa partenaire vit et réagit de la même façon. Très souvent, la jeune femme, ne sachant trop comment et quoi faire, laisse la pleine initiative à son partenaire, tout en essayant plus ou moins adroitement de réfréner les élans génitaux de celui-ci ; elle lui dit souvent quoi ne pas faire, rarement ce qu'elle voudrait ou aimerait qu'il lui fasse, la plupart du temps parce qu'elle ne le sait pas elle-même.

Passé 40 ans, la femme adulte ouverte à la sexualité sait généralement davantage ce qu'elle désire et ce qui la stimule ; la majorité des femmes connaît maintenant le chemin de l'orgasme. La plupart, mais pas toutes. Il se peut, monsieur, que votre femme ait été négativement influencée par les tabous des années 30 à 50 alors que la société divisait les femmes en deux catégories : les bonnes femmes et les autres. D'un côté, la mère dévouée qui remplissait régulièrement son devoir conjugal sans vraiment y prendre plaisir, et de l'autre, les femmes de mauvaise vie que vous désiriez mais que vous n'épousiez pas. Plus votre femme est âgée, plus elle a été modelée selon ce double standard et plus elle a besoin de votre aide pour l'aider à découvrir sa sexualité, si ce n'est déjà fait, ou à l'entretenir.

Rappelez-vous la fameuse distinction établie par Freud et qui a marqué plusieurs générations de femmes : la femme adulte orgasme vaginalement par la pénétration ; celle qui orgasme par stimulation clitoridienne est considérée comme sexuellement immature. Ce sont Masters et Johnson, au milieu des années 60, et Shire Hite, avec son fameux rapport de la fin des années 70, qui ont démontré l'incidence et la normalité de l'orgasme clitoridien : la majorité des femmes (75 à 85 %) a besoin d'une stimulation clitoridienne directe pour parvenir à orgasmer. Même si elle trouve agréable de sentir le pénis de l'homme qu'elle aime en elle, la stimulation vaginale n'est tout simplement pas suffisante pour déclencher ses orgasmes. Pourriez-vous orgasmer par la seule stimulation de votre scrotum ? C'est une question de nature sexuelle féminine. La preuve en est que, lorsqu'elle se masturbe, la femme n'entre pas ses doigts ou d'autres objets dans son vagin[5] pour orgasmer, elle se stimule la zone clitoridienne. Un point, c'est tout.

C'est donc dire que votre partenaire, contrairement à vous, n'a pas besoin de votre érection, et partant, de pénétration, pour jouir de sa sexualité. Vous pouvez donc relaxer et apprendre à écouter les désirs et réactions corporelles de votre femme pour l'accompagner dans sa recherche du plaisir plutôt que de continuer à lui «imposer» votre façon masculine de faire l'amour. Cessez de croire que la seule sexualité normale se limite à la relation sexuelle coïtale et encouragez les différentes manières «féminines» de s'épanouir sexuellement.

Si ce n'est déjà fait, vous pourriez, entre autres, mettre en application les différents conseils suivants (il est évident que plusieurs des conseils donnés à la femme pour aider son partenaire peuvent aussi s'appliquer à l'homme envers sa partenaire ; il s'agit tout simplement d'inverser les rôles.) :

1. Réagissez à ses initiatives et dites-lui que vous aimez quand elle prend l'initiative.

2. Créez une atmosphère romantique : musique, lumière tamisée, encens…

3. Sachez profiter des occasions où elle vous démontre de l'intérêt sexuel.

4. Ayez toujours une huile ou une crème lubrifiante près de vous au cas où sa lubrification ne serait pas suffisante pour faciliter la pénétration.

5. Faites-lui comprendre que vous appréciez les jeux sexuels même si vous n'êtes pas en érection ou n'atteignez pas l'orgasme.

6. Faites l'amour à ses seins, que vous soyez ou non en érection.

7. Accordez-lui toute votre attention et tout votre temps pour la caresser et la faire jouir manuellement, oralement ou à l'aide d'un vibrateur ; dites-lui que vous aimez la sentir vibrer sous vos caresses, quelles qu'elles soient.

8. Utilisez les différents types de massage érotique pour l'aider à relaxer.

9. La stimulation orale de ses organes génitaux, si elle y consent, est une caresse particulièrement efficace pour l'amener à l'orgasme. Certaines femmes n'orgasment que de cette façon. Ce que votre pénis ne peut ou ne veut pas faire, faites-le avec votre langue. Montrez-lui que vous aimez faire cette caresse et

dites-lui que vous aimez son odeur. D'ailleurs, les odeurs dégagées par ses organes génitaux agissent comme un excellent aphrodisiaque[6] et peuvent vous donner d'énormes érections. Si votre partenaire est réticente à cette caresse pour des raisons d'hygiène ou si vous ne lui avez jamais fait de baiser génital, profitez-en pour prendre auparavant un bain de bulles ou rendez-lui la pareille en lavant préalablement ses organes génitaux.

10. Sachez qu'il existe de nombreuses façons de rendre hommage à la vulve de votre partenaire : vous pouvez jouer avec ses poils pubiens, envelopper l'ensemble de sa vulve avec votre main, comprimer ses lèvres externes l'une contre l'autre, les étirer, suivre du doigt l'espace interlabiale, les ouvrir doucement, étirer ses lèvres internes, les pincer doucement entre votre pouce et votre index, tourner autour du clitoris, prendre le clitoris entre vos doigts et exercer un mouvement de va-et-vient, le faire tournoyer, entrouvrir son entrée vaginale, masser tout le pourtour de l'entrée vaginale, entrer deux doigts et faire un mouvement de « viens ici » sur la paroi antérieure de son vagin dans la région du poing G... Utilisez votre imagination.

11. Rappelez-vous que les parties les plus sensibles des organes génitaux de votre partenaire sont : le clitoris[7], la paroi supérieure de l'entrée vaginale lorsqu'elle est couchée sur le dos, la région du poing G. N'oubliez jamais que le clitoris, contrairement à votre pénis, ne possède qu'une seule fonction : donner du plaisir.

12. Partez à la recherche de toutes ses zones érogènes, pas seulement sa zone génitale et ses seins. Énormément de femmes réagissent fortement, par exemple, à un léger effleurage de la saillie interne des bras, au léchage du creux des coudes ou à de légères morsures du trapèze et de la nuque.

13. Si elle est préoccupée par son odeur ou ses effluves, décrivez-lui les sensations que vous éprouvez en la humant, en caressant sa vulve lubrifiée… afin de distraire son esprit.

14. Si, malgré tout, elle continue d'avoir de la difficulté à se laisser aller à vos caresses manuelles, buccales ou autres, parlez-lui d'amour, dites-lui jusqu'à quel point elle est importante pour vous, que vous n'avez jamais eu autant de plaisir avec elle. Remémorez-lui tous les bons souvenirs que vous avez vécus ensemble et qui font de vous un couple unique.

15. Sachez que la technique du «frottement» ou des mouvements de va-et-vient n'est pas nécessairement la caresse qui l'excite le plus. Il semblerait que la vibration soit beaucoup plus efficace que le frottement. En thérapie sexuelle, on conseille souvent aux femmes anorgasmiques de se masturber en utilisant la douche téléphone ou un vibrateur pour les amener à vivre leur premier orgasme. C'est pourquoi vous devriez vous procurer un vibrateur et le garder près du lit; il pourrait vous rendre d'énormes services. Point n'est besoin d'acheter un gadget sophistiqué à 200$ avec tête tournante et plumeau tripoteur de clitoris; un simple vibromasseur fera l'affaire, qu'il ait ou non la forme d'un pénis. Le vibrateur doit toutefois être utilisé avec circonspection car si vous l'utilisez très régulièrement, votre partenaire risque de devenir insensible à vos autres caresses: aucun pénis, aucun doigt ou aucune langue ne peut rivaliser avec l'intensité d'un vibrateur. Ne l'utilisez qu'occasionnellement pour apporter une variation dans vos jeux sexuels.

16. Jouez avec son excitation. L'objectif n'est pas qu'elle orgasme le plus rapidement et le plus intensément possible, mais plutôt qu'elle se sente bien dans vos bras et qu'elle ait le goût d'y revenir souvent. Quand vous sentez qu'elle est prête à

orgasmer, ralentissez la caresse, caressez-lui plutôt le ventre ou les aisselles. Laissez redescendre son excitation, puis revenez plus directement sur ses organes génitaux. Faites-lui sentir que vous prenez un malin plaisir à la «torturer» ainsi et faites durer le plus longtemps possible vos ébats sexuels.

17. Cessez d'achaler votre partenaire pour la faire jouir à tout prix ou à répétition. Respectez son rythme, sinon vous risquez qu'elle fasse «semblant» ou qu'elle perde intérêt à la sexualité.

18. Inondez son corps de milliers de baisers.

Rappelez-vous que votre partenaire est, fondamentalement et beaucoup plus que vous, sensible au contexte relationnel et émotif, qu'elle apprécie autant les jeux sexuels que leur conclusion orgasmique, qu'elle ne ressent pas comme vous la nécessité d'orgasmer à chaque relation sexuelle, que la pénétration n'est généralement pas suffisante pour la faire orgasmer, qu'elle ne tient pas nécessairement à vivre des orgasmes multiples à chaque occasion et qu'il n'est absolument pas primordial d'orgasmer simultanément. L'orgasme simultané n'est pas meilleur que l'orgasme chacun de son côté, l'un après l'autre. En fait, la majorité des couples fonctionne de cette façon : l'un des membres du couple accepte de recevoir et de se concentrer sur son plaisir, tandis que l'autre le caresse et assiste à son plaisir.

5.3 Ce que les deux peuvent faire pour s'entraider

Maintenant que vous êtes tous deux âgés de 40, 50, 60 ans ou plus, plusieurs changements sont survenus dans votre sexualité. Vous, madame, orgasmez plus facilement, mais vous n'avez pas nécessairement le goût d'orgasmer à tout coup. Vous, monsieur, avez maintenant la capacité de faire durer davantage vos érections sans éjaculation, parfois même à votre corps défendant. Des différences subsistent toutefois entre vous, différences très importantes comme nous allons le voir, mais que vous pouvez transformer en avantages pour tous les deux : le désir sexuel féminin ne diminue pas après un orgasme et la femme peut vivre de multiples orgasmes à l'intérieur d'une même relation sexuelle ou à l'intérieur d'une même journée. Par contre, le désir sexuel de l'homme disparaît après un orgasme et, comme nous l'avons vu, la période réfractaire érectile et la période réfractaire orgasmique s'allongent avec l'âge.

Il devient donc plus facile pour l'homme de prolonger ses relations sexuelles et même de faire volontairement l'amour sans orgasmer, ce qui ne fera pas disparaître votre désir sexuel. Pourquoi alors ne pas décider consciemment et volontairement de faire durer vos prochaines relations sexuelles aussi longtemps que possible ? Pourquoi ne pas décider consciemment et volontairement de faire l'amour par étapes et ce, durant toute une journée (pourquoi pas samedi prochain) ?

1. Première étape : le matin au réveil. Le partenaire qui se réveille en premier éveille doucement l'autre en lui caressant le dos, le ventre, les épaules, les bras, les jambes, la tête, les organes génitaux. Vous pouvez même procéder à une pénétration et, pourquoi pas, faire orgasmer madame.

2. Deuxième étape : l'après-midi. Vous pourriez profiter d'une petite sieste en début d'après-midi pour aller vous faire des « câlins » ou, si vous avez tout votre temps, vous échanger un massage érotique et génital et, si madame le désire, pourquoi pas un deuxième orgasme par vibrateur, ou autrement.

3. Troisième étape : un apéritif vite fait. Vous avez invité des amis à souper vers les 19 h. Tout est prêt et il vous reste une dizaine de minutes avant leur arrivée. Allez au salon, descendez votre fermeture éclair et demandez à votre partenaire de vous caresser manuellement ou oralement ; ou encore, relevez votre robe, descendez votre petite culotte et demandez la réciproque à votre partenaire. L'attente de vos invités peut même créer un état de tension érotique intense. N'ayez crainte, vous aurez le temps de relevez votre petite culotte ou votre fermeture éclair avant d'aller répondre à la porte. Sinon, vous rougirez de plaisir et puis après...

4. Quatrième étape : au coucher. Après un repas romantique, arrosé d'un bon vin, vous vous retrouvez au lit et créez une atmosphère en visionnant un film érotique tout en vous caressant, faisant venir et repartir les érections de monsieur. Vous vous endormez dans la position de la cuillère tout en pratiquant l'exercice du « vagin tranquille » (voir chapitre 8), après avoir donné un troisième orgasme à votre partenaire, si elle le désire.

5. Cinquième étape : au milieu de la nuit. Comme il y a des chances qu'après une telle journée excitante, vous fassiez un rêve érotique ou que vous vous réveilliez en érection, pourquoi ne pas profiter de celle-ci pour faire l'amour une dernière fois à votre partenaire à moitié endormie et vous permettre enfin d'orgasmer à votre rythme et en vous concentrant sur votre propre plaisir ? Et si vous sentez que votre orgasme ne vient pas, pas de panique, vous pourrez recommencer au réveil.

Vous pourrez par la suite vous dire que vous avez vraiment fait l'amour toute la journée et vous en vanter auprès de vos enfants de 30 ans ou de vos collègues ! De toute façon, ils verront bien dans vos yeux et votre sourire que vous continuez d'être un couple heureux parce que comblé amoureusement et sexuellement.

Une dimension intéressante du désir sexuel est que, tout comme la faim, il augmente avec le temps. Vous pourriez donc, au contraire de ce qui est décrit ci-dessus, espacer consciemment et volontairement vos relations sexuelles, tout en vous aguichant l'un l'autre comme au temps de vos fréquentations.

Un jour, j'ai donné le conseil suivant à une jeune amie qui allait se marier avec le jeune homme avec lequel elle vivait depuis deux ans ; elle voulait lui offrir une nuit de noces spéciale mais ne savait pas trop quoi faire. Je lui proposai de se refuser sexuellement à lui pendant tout le mois précédant son mariage et même de cesser de dormir avec lui, tout en continuant de flirter et de l'exciter. Elle retourna effectivement un mois chez ses parents et me confirma par la suite que, même si elle avait trouvé ce « jeûne sexuel » difficile, la nuit de noces et la lune de miel qui s'en suivit en valaient la peine.

L'abstinence sexuelle peut donc être un moyen de gérer votre excitation sexuelle et votre vie sexuelle. Comme vous aurez plus d'appétit, les ratés sexuels risquent d'être moins fréquents, à la condition que tous deux restiez confiants dans vos capacités sexuelles et que vous le fassiez volontairement et non pas parce que vous avez peur de ne pas être à la hauteur. Il ne faut pas non plus que le temps entre deux relations sexuelles soit trop long car, contrairement à la faim, vous risquez de perdre votre libido. La sexualité doit s'exercer pour rester vivante. À vous de trouver la fréquence qui vous permet de conserver une haute tension sexuelle.

5.4 Le point G et le point P

Il existe deux caresses particulières qu'un couple d'amants peut partager. Les sensations et les orgasmes ressentis par l'intermédiaire de ces deux caresses sont très différents des orgasmes standards.

Ces expériences sensorielles ajoutent de l'intimité dans le couple et ravivent souvent une sexualité déclinante. Ce sont la stimulation du point G et le massage du point P, P pour prostate.

Tous connaissent maintenant l'existence du point G rendu célèbre par les travaux de Ladas, Whipple et Perry[8]. Si vous et votre partenaire êtes désireux d'explorer son poing G, voici plusieurs informations qui vous seront utiles.

Le **poing G** est situé sur la paroi antérieure du vagin, juste au bout des doigts lorsque vous les insérez dans le vagin de votre partenaire, paume vers le haut. Si vous faites un mouvement de « viens ici » avec vos doigts, vous stimulez alors la zone du poing G. Si vous tournez légèrement vos doigts pour palper les parois latérales, vous pourrez comparer la différence de texture entre ces deux zones. La zone du poing G est parfois très lisse, parfois hérissée comme lorsque nous avons la chair de poule.

Dans le coït, le poing G est rarement directement stimulé par les mouvements de va-et-vient du pénis, sauf lors de pénétration par l'arrière (dans les positions dites de la levrette ou de la cuillère) ou lorsque la femme est assise sur son partenaire pouvant ainsi plus facilement diriger l'angle de pénétration du pénis. Plusieurs femmes arrivent à orgasmer vaginalement de cette façon. Toutefois, la majorité des femmes n'y parviennent pas car la stimulation est insuffisante, peu importe la durée du coït.

Souvent, lors de la stimulation du poing G, les premières sensations éprouvées par la femme sont une légère irritation et l'envie d'uriner ; cela s'explique par le fait que le poing G entoure l'urètre comme vous pouvez le constater dans le tableau ci-dessous. Celle-ci se contracte alors de peur d'uriner, empêchant ainsi la sensation de se développer en plaisir. Pour vous aider à vous laisser aller, il peut être bon d'aller vider votre vessie avant de faire l'amour. Si le besoin d'uriner se fait à nouveau sentir, vous pourrez dépasser cette sensation et laisser les sensations de plaisir vous envahir.

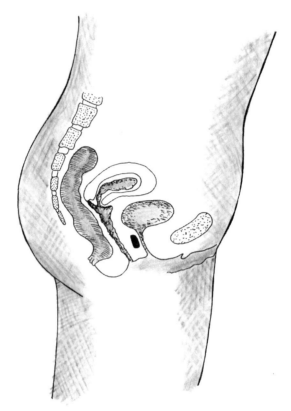

Figure 6. Le point de Gräfenberg.

Voici, messieurs, deux techniques particulièrement efficaces pour stimuler le poing G de votre partenaire :

• Elle, couchée sur le dos ; vous, assis ou allongé sur le côté à la hauteur de son bassin : vous déposez la paume de votre main gauche légèrement au-dessus de son os pubien de façon à pouvoir caresser son clitoris avec votre index ; puis insérez l'index et le majeur de la main droite dans son vagin, paume vers le haut. Faites des mouvements de «viens ici» avec vos deux doigts tout en exerçant des pressions variables sur son bas-ventre avec le haut de votre paume gauche, comme si vous vouliez comprimer la partie de son corps située entre vos doigts et votre paume. Allez-y progressivement avec de plus en plus d'intensité.

• Elle, étendue sur le ventre ; vous, allongé sur le côté : placez votre main gauche sous elle au niveau du pubis et caressez son clitoris avec vos doigts. Passez votre main droite entre ses deux jambes et insérez cette fois-ci votre pouce dans son vagin pour venir stimuler son point G. Là aussi, allez-y progressivement avec de plus en plus d'intensité.

Ces deux caresses, toutefois, ne donneront de bons résultats que si votre partenaire est déjà rendue à un très haut niveau d'excitation ; sinon, elles risquent d'être désagréables. Soyez très à l'écoute de ses réactions afin de varier l'intensité de ces deux caresses, car celle-ci doit être relativement forte pour déclencher l'orgasme de cette façon.

Il est fort possible qu'au moment de l'orgasme, en fait une à deux secondes auparavant, vous sentiez comme une coulée plus abondante de sa lubrification. Ceci annonce l'orgasme imminent de votre partenaire. Cet écoulement, que certains appellent l'éjaculation féminine, est produit, croyons-nous, par les glandes de Bartholin situées de part et d'autre de l'entrée vaginale.

La **prostate** constitue, chez l'homme, l'équivalent du poing G. La prostate est une glande de la grosseur d'une noix, située à la base de la vessie ; elle entoure l'urètre et produit la majeure partie du sperme de l'homme. Le numéro de *Men's Confidential* de septembre 1997, un bulletin mensuel d'information sur la santé et la sexualité masculine, rapporte qu'un urologue philippin du nom de Antonio E. Feliciano, de Manille, a mis au point une technique de massage de la prostate permettant d'expulser les fluides infectés qui s'y accumulent, fluides généralement responsables des prostatites. Ses propres observations et les recherches d'autres urologues concluent qu'environ 50 % des hommes ont vu leurs prostatites grandement améliorées grâce à cette technique, là où les autres traitements (particulièrement les antibiotiques) avaient échoué. Le massage de la prostate peut être fait par un urologue compatissant, par votre partenaire ou s'auto-administrer à l'aide de votre propre doigt ou d'un appareil spécialement conçu.

Le massage se déroule alors en quatre étapes :

8.1 Prenez un bon bain chaud afin de relaxer et de détendre votre sphincter anal. Entourez ensuite l'appareil ou le doigt du volontaire d'un condom ou d'un gant caoutchouté jetable et enduisez-le généreusement d'un lubrifiant anti-allergène.

8.2 Étendez-vous sur le dos, le côté ou le ventre, dans une position confortable mais permettant un accès facile à l'anus. La prostate se trouve à environ 1 1/2 pouces (3.5 cm), soit au bout de votre doigt. Au centre de la prostate, vous trouverez un légère dépression. Cherchez bien et vous trouverez des régions visqueuses contenant le fluide en question.

8.3 Pressez doucement votre appareil ou votre doigt de chaque côté de la prostate en la caressant de l'extérieur vers l'intérieur et du haut vers le bas. Avec l'expérience, vous pourrez augmenter la pression et sentirez probablement le fluide s'écouler vers l'urètre.

8.4 Urinez aussitôt que le massage est terminé et exprimez votre reconnaissance à votre partenaire (si c'est elle qui vous a rendu ce service), car ce massage constitue une réelle preuve d'amour.

Pour obtenir les meilleurs résultats sur l'engorgement de votre prostate, la fréquence idéale est de trois fois par semaine.

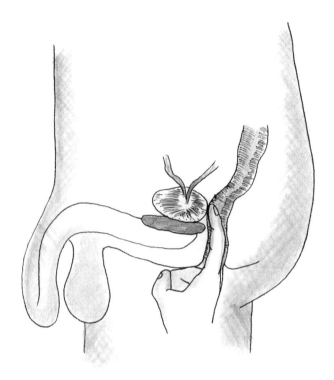

Figure 7. Le massage de la prostate.

Toutefois, ce qui est le plus intéressant pour notre propos à ce moment-ci, c'est que le massage de la prostate possède non seulement des effets positifs sur les infections de celle-ci, mais apporte aussi une intensification de vos érections et de vos orgasmes. Le massage de la prostate peut alors être utilisé comme caresse et non plus comme traitement. Paul, un homme de 60 ans, me rapporta que, depuis que lui et sa partenaire avaient intégré le massage de sa prostate à leurs jeux sexuels préliminaires et à ses séances de masturbation, il avait l'impression de redevenir un jeune homme tellement ses orgasmes étaient plus faciles à obtenir, plus intenses et plus globaux. Beaucoup d'autres hommes, à sa suite, m'ont confirmé avoir éprouvé des sensations nouvelles et des orgasmes différents grâce au massage de la prostate.

La stimulation de la prostate peut vous amener jusqu'à l'orgasme parce que les nerfs entourant la prostate sont directement connectés à votre pénis. De plus, en exerçant des pressions sur votre prostate, vous stimulez indirectement la partie interne de votre pénis ; c'est comme si vous caressiez votre pénis par l'intérieur. Une fois passés vos réticences et celles de votre partenaire concernant l'anus, vous pourrez découvrir des sensations nouvelles et des orgasmes explosifs, tout en entretenant la santé de votre prostate.

Environ 50 % des couples homosexuels utilisent la pénétration anale afin de stimuler la prostate et de déclencher ce type d'orgasme. N'allez surtout pas croire que vous êtes homosexuel si vous prenez plaisir à cette caresse. Tous les hommes, peu importe leur orientation sexuelle, peuvent apprendre à apppréciez la stimulation du point P.

Chapitre
6

Le muscle de l'amour

6.1 Le muscle pubococcygien

Le muscle de l'amour s'appelle en fait le muscle pubococcygien ou, plus succinctement, le PC. Il tire son nom de ses deux points d'attache, l'un situé à l'avant, l'os du pubis, et l'autre situé à l'arrière, le coccyx, dernier petit os de la colonne vertébrale. Il constitue le plancher pelvien (périnée) et maintient les différents organes pelviens en place. Il passe de chaque côté de l'entrée vaginale chez la femme et entre le corps interne du pénis et la prostate chez l'homme ; il entoure l'urètre et l'anus chez les deux sexes. Il se présente comme une bande musculaire élastique et vous permet de contrôler volontairement votre miction.

Nous l'appelons le muscle de l'amour parce que c'est lui qui se contracte involontairement lors d'un orgasme et est ainsi partiellement responsable du plaisir ressenti lors des contractions orgasmiques. Plus ce muscle est fort et en bon état, plus fortes sont les contractions et plus intense votre plaisir. Le PC possède aussi l'avantage de pouvoir être contracté volontairement.

L'os pubien et le coccyx étant immobiles, le muscle pubococcygien est plutôt inactif, contrairement aux autres muscles du corps ; faute d'exercice, il a donc tendance à s'atrophier plus rapidement que les autres en vieillissant. Urologues et gynécologues possèdent différents instruments et mesures pour vérifier l'état de votre muscle pubococcygien ; leur examen physique leur permet d'évaluer les divers facteurs suivants :

1. votre capacité à le contrôler, i.e. votre habilité à contracter et à relaxer volontairement votre muscle ;

2. son atrophie : certains segments du muscle sont-ils atrophiés, rigidifiés ou absents ?

3. votre degré de résistance, appelé aussi tonus ou accent ;

4. la distance entre les parois du vagin, appelée le déplacement vaginal ; le pendant chez l'homme constitue sa force d'érection ;

5. votre force initiale, i.e. le degré avec lequel vous pouvez contracter le muscle sans tenir la contraction ;

6. la force soutenue, i.e. le degré avec lequel vous pouvez contracter et retenir la contraction pendant 10 secondes.

Lorsqu'un ou plusieurs de ces facteurs sont déficients, de nombreux symptômes physiques peuvent apparaître : incontinence urinaire[1], difficulté à commencer ou à arrêter d'uriner, douleurs dans le bas-ventre, syndrome prémenstruel plus sévère, troubles de la prostate, vessie et utérus descendus, constipation, lourdeur dans le bas-ventre… Mais ce qui est plus important pour le propos de ce livre, c'est qu'une faiblesse du muscle pubococcygien :

1. accélère tous les processus de dégénérescence sexuelle décrits aux chapitres premier et troisième ; et

2. intervient directement dans presque tous les cas de dysfonctionnement sexuel.

Trop tendu, il peut être source de vaginisme ou d'éjaculation précoce ; trop lâche, il rend l'atteinte de l'orgasme plus difficile et diminue l'intensité orgasmique. C'est dire toute l'importance de ce muscle de l'amour et la nécessité de l'entretenir régulièrement pour une sexualité saine.

Heureusement, un médecin du nom de Arnold Kegel a découvert une série de contractions qui permet d'exercer le PC, de le garder en bonne forme et même d'en augmenter le tonus. Cette découverte fut faite par hasard, comme c'est souvent le cas. Le docteur Kegel demandait aux femmes qui venaient d'accoucher de faire certaines contractions avec leurs muscles vaginaux pour traiter l'incontinence urinaire fréquente des femmes en post-partum et pour favoriser le rétablissement de leurs muscles vaginaux distendus après le passage du bébé. Non seulement ces exercices accéléraient la remise en place des organes reproducteurs et faisaient disparaître les problèmes d'incontinence, mais ses patientes rapportèrent une augmentation de l'intensité orgasmique, donc du plaisir, et une plus grande facilité à atteindre l'orgasme. Plusieurs ont même découvert le plaisir sexuel en exerçant leur PC. Ceci se passait au milieu des années 40.

Quoique, à notre connaissance, aucune recherche scientifique n'ait prouvé le bien-fondé de ces exercices pour les hommes, l'étude empirique nous démontre qu'ils améliorent la circulation sanguine dans le pénis, donc qu'ils améliorent les érections, qu'ils facilitent l'apprentissage du contrôle éjaculatoire, qu'ils accélèrent le traitement des problèmes d'impuissance primaire et secondaire et, finalement, qu'ils augmentent le plaisir en intensifiant les contractions orgasmiques. De plus, la pratique régulière de ces exercices par l'homme vieillissant retarde la dégénérescence de la prostate et l'apparition de ses multiples problèmes. Presque trois hommes sur quatre auront, après 50 ans, des problèmes bénins ou majeurs avec leur prostate ; notons d'ailleurs que l'incidence du cancer de la prostate dépasse actuellement l'incidence du cancer du poumon. Certains urologues avancent même le fait que des hommes ont réglé leurs problèmes de prostatites à répétition après quelques mois de pratique régulière des exercices de Kegel.

Les recherches démontrent que les femmes anorgasmiques ont le PC le plus mal en point, que celles qui sont capables d'un orgasme clitoridien, mais non coïtal, ont le PC un peu plus en forme et que les femmes capables d'un orgasme par la pénétration ont le meilleur PC. Il existe donc un lien direct entre la capacité orgasmique fémi-nine et l'état du PC. On peut inférer la même conclusion pour les hommes : plus leur PC est en forme, meilleur sera leur contrôle et plus intenses leurs orgasmes. Cette hypothèse reste toutefois à être prouvée.

6.2 Les exercices de Kegel

Voici la meilleure façon de localiser votre PC, que vous soyez un homme ou une femme : attendez d'avoir envie d'uriner et allez à la toilette ; asseyez-vous sur celle-ci, les jambes légèrement écartées et les avant-bras posés sur vos cuisses pour que tout le poids du haut de votre corps soit porté par vos cuisses ; ceci facilite le relâche-ment des muscles abdominaux. Commencez à uriner, mais coupez l'écoulement de façon à ne laisser s'écouler qu'environ une cuillerée à soupe d'urine ; une fois le jet d'urine complètement arrêté, laissez à nouveau s'écouler une autre cuillerée à thé d'urine et cessez à nouveau ; continuez ainsi jusqu'à ce que votre vessie soit complètement vide. Vous devriez normalement faire cet exercice très facilement et être capable de vous relever après chaque arrêt. Sinon, raison de plus pour faire les exercices de Kegel car la difficulté à faire cet exercice prouve que votre PC n'est pas en bon état.

Une autre façon de découvrir comment faire la contraction est, pour la femme, d'insérer deux doigts dans le vagin et de resserrer ce dernier sur les doigts. Le resserrement ressenti autour de vos doigts est directement proportionnel à la force de votre PC. Pour l'homme, la contraction de ce muscle, alors que vous êtes en érection, fait bouger votre pénis.

La contraction effectuée pour arrêter d'uriner, presser vos doigts ou faire bouger votre pénis constitue la contraction de base des exercices de Kegel. C'est cette contraction que vous devez pratiquer tout en essayant de ne pas contracter les muscles abdominaux, ni les muscles fessiers. C'est pourquoi la position assise, au moment d'uriner, est la plus appropriée pour apprendre comment effectuer cette contraction. Évidemment, la suite des exercices se fait en dehors de la fonction de miction. Toutefois, vous pouvez revenir à la miction pour vérifier les progrès accomplis.

Il existe plusieurs séquences d'exercices qui ont été développées dépendant des pathologies du PC. Celle que nous vous présentons ici peut s'adapter à toutes les situations et donne d'excellents résultats après huit à douze semaines d'exercices quotidiens réguliers. De plus, cette séquence a l'avantage de faire travailler votre muscle PC de différentes manières et dans différentes positions.

1. Contraction lente. Contractez votre muscle, comptez « mille et un », puis relâchez la contraction. Recommencez à dix

reprises. Chaque contraction dure une seconde. Cette contraction vous permet d'évaluer votre capacité à contrôler votre PC et votre force initiale.

2. Contraction de trois secondes. Contractez le plus fortement possible votre muscle et maintenez la contraction le temps de compter mille-et-un, mille-et-deux, mille-et-trois. Recommencez une dizaine de fois. Vous améliorez ainsi votre force initiale.

3. Contraction rapide. Faites autant de contractions que vous le pouvez en dix secondes. Il est fort possible que vous bloquiez lors des premières tentatives. Recommencez. Cette contraction mesure aussi votre capacité à contrôler votre PC.

4. Contraction de six secondes. Contractez le plus fortement possible votre muscle et maintenez la contraction le temps de compter de mille-et-un à mille-et-six. À mille-et-cinq, accentuez votre contraction. Ce qui donne : contractez, maintenez, maintenez, maintenez, contractez plus fort, maintenez et relâchez. Recommencez au moins une dizaine de fois. Vous améliorez ainsi votre force soutenue et atténuerez les atrophies s'il y en a.

5. Contraction longue. Contractez votre muscle et maintenez la contraction le plus longtemps possible. Votre record devrait passer rapidement de quelques secondes à plusieurs dizaines de secondes, surtout si vous n'avez jamais fait ce type d'exercice. Cette contraction est directement proportionnelle à votre résistance et mesure la force continue.

Vous pouvez ajouter une petite variante à ces exercices soit en contractant très rapidement et en relâchant très lentement la contraction, soit au contraire en contractant très progressivement votre PC et en le relâchant rapidement.

Nous vous conseillons de faire cette séquence d'exercices trois fois par jour, avec un intervalle de trois heures entre chaque série, pour le reste de votre vie, si vous voulez jouir de votre sexualité le plus longtemps possible. Il n'est pas nécessaire de faire ces contractions plus de trois fois par jour, car cela fatigue trop le muscle pour être bénéfique. Par contre, si vous ne les faites pas de façon régulière ou seulement une ou deux fois par jour, cela prendra deux ou trois fois plus de temps pour arriver au même résultat; en cela, ces exercices sont semblables à n'importe quel programme d'entraînement physique pour renforcer votre masse musculaire et améliorer votre condition physique; ils ont un effet cumulatif. Une fois le PC en bon état, une seule série quotidienne devrait être suffisante pour entretenir la santé de votre PC.

Nous vous recommandons de faire ces exercices dans différentes positions: en position assise, la plus facile; en position debout, laquelle facilite la contraction du PC à la base de votre pénis ou entourant votre vagin; en position couchée, les jambes allongées, qui crée une détente totale des autres muscles de votre corps; en position couchée, les jambes en grenouille, qui vous permet là aussi de faire travailler différemment votre PC. Ces différentes manières d'exercer votre PC auront l'avantage de développer l'ensemble de votre muscle pubococcygien. De plus, chaque contraction stimule la projection sensori-motrice du PC le long de la scissure de Rolando au niveau du cortex cérébral, activant ainsi la perception sensorielle de votre muscle et votre capacité à le mouvoir.

Il se peut qu'au début vous ressentiez une fatigue musculaire ou un «mal de muscle». Tout comme, par exemple, vous pouvez ressentir des douleurs musculaires aux jambes si vous recommencez à faire de la bicyclette après des années d'arrêt. Cela signifie évidemment soit que votre muscle n'est pas en bon état, soit que vous avez poussé un peu fort. Limitez-vous alors à deux séries d'exercices par jour pour quelques jours et mettez la pédale douce. Il vaut mieux commencer lentement, puis y aller progressivement. N'essayez pas de donner une performance ; une fleur ne pousse pas plus vite si vous tirez dessus.

Il n'est pas nécessaire de vous isoler et de cesser toute activité pour faire ces exercices. Vous pouvez évidemment le faire, mais vous pouvez aussi les exécuter en écoutant la télévision, une émission de radio ou de la musique. Vous pouvez profiter d'une file d'attente, d'un embouteillage, d'une conférence, d'un appel téléphonique… en fait de toutes les fois que vous avez quelques minutes à « perdre ». Mais vous pouvez aussi privilégier trois moments : le réveil, le coucher et une petite pause en début d'après-midi.

Il est possible que ces contractions provoquent chez vous une certaine excitation sexuelle amenant une érection ou une lubrification vaginale, mais tel n'est pas l'objectif premier des exercices de Kegel. Ces exercices renforcent votre muscle pubococcygien, mais les objectifs les plus importants sont en fait :

1. d'augmenter l'amplitude entre l'état de tension et l'état de détente musculaire du PC, car plus grande sera la distance entre ces deux états, plus grande sera la « chute » orgasmique.

2. d'aviver les organes sexuels à chaque contraction et leur projection neurologique au niveau du cortex cérébral. La stimulation provoquée par les contractions ralentit alors la dégénérescence des organes sexuels.

Tout comme les autres exercices musculaires, les résultats sont subtils et progressifs ; il peut donc se passer plusieurs semaines avant d'en ressentir les effets. L'évolution se fait selon les étapes suivantes, d'après les gynécologues et les urologues :

1. Un plus grand contrôle volontaire constitue évidemment le premier gain de ces exercices.

2. Puis, l'ensemble du muscle devenant plus actif, les atrophies musculaires du PC sont comblées et chaque segment du muscle devient plus «vivant».

3. Le muscle, maintenant intact, devient plus résistant; son tonus augmente.

4. Un PC en bon état se manifeste par un muscle vaginal serré et étroit qui a la possibilité de se contracter autour du pénis, provoquant ainsi des sensations accrues pour vous et votre partenaire; chez l'homme, les érections deviennent plus rapides et rigides.

5. L'intensité des contractions, ou force initiale, augmente.

6. Finalement, la force initiale étant plus intense, la force soutenue ne peut faire autrement que de se développer elle aussi: vous pouvez conserver la contraction de plus en plus longtemps.

Au fur et à mesure de l'évolution de ces facteurs, vous verrez disparaître, s'ils sont présents, vos problèmes d'incontinence urinaire; vous améliorerez le contrôle de votre miction et diminuerez l'intensité de votre syndrome prémenstruel. Vous ressentirez davantage la présence de votre bas-ventre.

La rapidité de ces améliorations dépend évidemment de chaque individu et du nombre de facteurs en santé au moment de commencer les exercices: plus il y a de facteurs en santé avant de commencer, moins de temps cela prendra pour améliorer le muscle, et vice versa. Par exemple, une femme qui n'a aucun contrôle sur son PC, qui dénote une sévère atrophie musculaire et un relâchement vaginal important devra faire les exercices de Kegel de façon plus régulière, plus longtemps et devra s'assurer qu'elle les fait plus correctement qu'une autre femme qui démontre seulement une faiblesse du tonus musculaire. Dans le cas de pathologies graves, nous vous conseillons de faire ces exercices sous la supervision d'un gynécologue ou d'un urologue ; ce dernier pourra adapter spécifiquement les exercices de Kegel à votre condition particulière.

Les femmes ont l'avantage ou la possibilité de pouvoir utiliser un appareil appelé périnéomètre pour les aider dans leurs exercices de Kegel. Le périnéomètre est un instrument médical disponible seulement sur prescription. Inséré dans le vagin, il agit comme appareil de mesure pour évaluer la condition du muscle pubococcygien et comme appareil thérapeutique pour en corriger les pathologies. Il se présente avec une partie en caoutchouc remplie d'air qui est introduite dans le vagin et est complétée par un manomètre. Lorsque la femme contracte son vagin contre la partie en caoutchouc, l'air en est expulsé et l'aiguille indique alors la pression utilisée, donc la force relative du muscle PC. Le périnéomètre résistant de façon passive exige du muscle PC un plus grand effort, donc un progrès plus rapide. Il agit comme outil de bio-feedback permettant à la femme de constater l'amélioration de la force et du tonus de son PC.

La femme peut aussi utiliser l'exercice du « frapper ». Au lieu d'imaginer son vagin comme un tunnel, la femme le visualise comme étant formé de deux planchettes, l'une à gauche et l'autre à droite, qu'elle ramène rapidement l'une vers l'autre comme si elle frappait des mains. Ce faisant, elle permet à toute la longueur de son vagin de se contracter plutôt que seulement la partie formant la «plate-forme orgasmique[2]». Une autre variation des exercices de Kegel pour la femme est d'imaginer qu'elle aspire de l'eau avec son vagin et qu'elle l'expulse ensuite avec force.

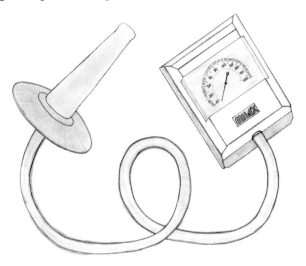

Figure 8. Le périnéomètre.

Le seul autre exercice pouvant être pratiqué par l'homme pour augmenter la force de son PC est celui dit de la «serviette». Pour ce faire, l'homme doit être en érection; il dépose alors une débarbouillette sur son pénis, alors qu'il est dans la position debout, et exécute les contractions de Kegel; il augmente ainsi la force que doit déployer son PC pour lutter contre le poids de la débarbouillette. Puis, il peut mouiller la débarbouillette ou la remplacer par un essuie-mains, qu'il peut aussi imbiber d'eau. Ensuite, il la remplace par une serviette de bain et, finalement, par une serviette de plage; je doute fort, toutefois, qu'il puisse soulever ces dernières si elles sont mouillées!

Que votre PC soit en bon état ou non, tous les hommes et toutes les femmes devraient pratiquer ces exercices de contractions pour entretenir leur musculature sexuelle ou la remettre en forme. Voici tous les bénéfices primaires et secondaires de ces exercices:

1. Augmentation de la sensibilité génitale par le développement de la projection neurologique au niveau du cerveau (centre du plaisir) qui vous permettra d'être beaucoup plus conscient (et en contrôle) du niveau de votre excitation sexuelle.

2. Augmentation de l'intensité orgasmique par l'augmentation de la force du PC, provoquant ainsi des contractions orgasmiques plus jouissives.

3. Augmentation du seuil de résistance du PC, i.e. que vous aurez besoin de plus de stimulation pour atteindre le point de non-retour, retardant ainsi le réflexe éjaculatoire.

4. Source de stimulation érotique par la contraction volontaire du PC.

5. Possibilité de dissocier le réflexe orgasmique du réflexe éjaculatoire, donc possibilité d'orgasmer sans éjaculer et de pouvoir devenir multiorgasmique[3].

6. Ralentissement du processus de dégénérescence de la prostate car chaque contraction vient stimuler cette dernière.

7. Ralentissement du processus de dégénérescence du vagin.

8. Diminution de certains troubles urinaires, telles la perte d'urine lorsque vous riez, les difficultés à commencer à uriner ou à finir d'uriner ou à vous retenir d'uriner…

Les bénéfices primaires et secondaires des contractions du muscle PC valent la peine que vous inscriviez ces exercices dans votre routine quotidienne[4].

Chapitre

7

Entretien personnel de votre sexualité

On dit que «la fonction crée l'organe» et aussi qu'«un muscle qui ne sert pas s'atrophie». Ces deux dictons se sont particulièrement avérés au sujet de la sexualité. Les hommes et les femmes qui ont commencé très tôt une sexualité active et qui ont eu au cours de leur vie une fréquence hebdomadaire supérieure à la moyenne ont conservé leurs capacités sexuelles beaucoup plus longtemps que ceux et celles dont la vie sexuelle a commencé plus tardivement et dont la fréquence était moindre. On peut faire le parallèle avec le fait que les hommes et les femmes qui ont toujours été actifs physiquement et qui se sont préoccupés de leur alimentation ont été en meilleure santé plus longtemps. Pour vous assurer une santé sexuelle exempte de difficultés, faites en sorte que votre sexualité fasse partie de vos priorités. Voici plusieurs suggestions pouvant vous y aider.

7.1 L'activité sexuelle

Militaire haut gradé à la retraite, Robert, 59 ans, vint me consulter parce qu'il ne parvenait pas à obtenir une érection avec sa nouvelle amie, Nicole, 49 ans, fort jolie et très réceptive sexuellement; Robert et Nicole se fréquentaient depuis six mois. Malgré des tentatives répétées pour faire l'amour, Robert n'avait eu que quelques érections partielles permettant une pénétration, mais insuffisantes pour aller jusqu'à l'orgasme intravaginal ; or, Nicole n'orgasmait que par la pénétration. Chaque nouvel échec augmentait la crainte de Robert qu'elle le quitte et cette pensée créait une pression qui l'empêchait de se détendre, suscitant ainsi les conditions pour un nouvel échec. De plus, Nicole refusait d'aller vivre avec lui tant qu'il n'aurait pas réglé son problème ; elle aimait le sexe et était très active dans ses caresses.

Les entrevues préliminaires démontrèrent que Robert avait cessé toute activité sexuelle depuis près de dix ans. Sa femme était morte depuis cinq ans, après une longue maladie débilitante qui lui avait servi de prétexte pour interrompre une vie sexuelle qui n'avait jamais été très intense ni très satisfaisante. Quant à Robert, ses principes moraux et son sens de la responsabilité (son sentiment de culpabilité ?) l'avaient contraint à respecter la décision de sa femme et il n'avait pas compensé cet arrêt d'activité sexuelle par la masturbation ou une relation extra-conjugale : comment pouvait-il, lui, se permettre d'avoir du plaisir alors que la femme qu'il continuait d'aimer était souffrante ?

Il s'occupa donc de sa femme presque à temps plein jusqu'à sa mort. Après celle-ci, il vécut seul, en contact avec sa famille, sans grande joie de vivre et sans aucune activité sexuelle jusqu'au moment où il rencontra Nicole. Femme enjouée, veuve active sexuellement, riante, indépendante financièrement, Nicole fut comme un rayon de soleil qui réchauffa sa vie ; elle était toutefois tannée d'aventures sans lendemain et recherchait une relation stable, ce que Robert était prêt à lui offrir. Le hic, Robert ne parvenait pas à fonctionner sexuellement malgré des conditions favorables : relation amoureuse stable, beaucoup de stimulation de la part de sa partenaire, période de lune de miel…

Évidemment, les échecs répétés de Robert commençaient à créer une situation psychologique de plus en plus stressante et nuisible à leur sexualité et, involontairement, Nicole créait une pression supplémentaire en conditionnant la vie commune à leur fonctionnement sexuel. Mais ce stress et cette pression étaient, dans ce cas-ci, la conséquence du non-fonctionnement de Robert, non la cause.

Les sessions thérapeutiques ont consisté à :

1. modifier les attitudes rigides de Robert face au comportement sexuel :
   • il ne s'était masturbé que quelques fois dans sa vie, adolescence comprise, et avec un fort sentiment de culpabilité à chaque fois ;
   • il croyait que la sexualité ne pouvait se manifester que dans une relation amoureuse stable, qu'un veuf ne pouvait avoir de vie sexuelle active sans femme ;
   • il croyait que le seul comportement sexuel sain et normal était le coït et que tout le reste n'était que préliminaires à celui-ci ; à ce niveau, Nicole partageait aussi cette croyance : c'est pourquoi au début elle se montrait réticente à la stimulation manuelle et orale de ses organes génitaux ;
   • il était assuré que sa pulsion sexuelle reviendrait dès qu'il retomberait en amour et qu'il n'avait aucun effort à faire pour entretenir sa sexualité ;

2. les renseigner, lui et Nicole, sur les répercussions sexuelles associées à l'âge, la normalité de ces modifications et la nécessité d'en tenir compte ;

3. les amener à accepter un plus grand éventail de jeux sexuels, sans nécessairement conclure par un orgasme intravaginal ;

4. lui suggérer personnellement une série d'exercices lui permettant de se remettre en forme sexuellement et dont vous trouverez la description ci-après.

Dans le cas des personnes âgées, un des principes à la base de la thérapie sexuelle est que **l'activité sexuelle est bonne pour l'activité sexuelle**, quelle qu'elle soit. Au même titre que si vous voulez vous maintenir en forme physiquement, vous devez faire de l'exercice physique, vous devez, pour vous maintenir en forme sexuellement, faire des activités sexuelles. L'expression «Ce qui ne sert pas s'atrophie» est particulièrement vrai pour la sexualité. Il existe de nombreux exemples d'athlètes qui ont cessé subitement de s'entraîner et qui sont devenus obèses et mal en point dans le temps de le dire. L'inverse est aussi vrai : des personnes n'ayant jamais fait d'exercice avant l'âge de 40 ans se sont mises à l'exercice physique et se sont retrouvées quelques mois ou années plus tard, en meilleure forme qu'à 25 ans. Ce qui est vrai pour l'activité physique est vrai pour l'activité sexuelle, quoi que vos directeurs religieux ou spirituels en disent.

Pour qu'un pénis puisse se garder en forme, il a besoin d'être régulièrement oxygéné par le passage du sang provoqué par les érections. **Les érections sont donc bonnes pour les érections.** Le vagin a aussi besoin de stimulation fréquente pour conserver sa capacité lubrifiante. L'idéal est évidemment d'avoir régulièrement des relations sexuelles avec un partenaire réceptif et de varier le plus possible vos activités sexuelles. Une recherche rapportée par le *British Medical Journal*, en 1998, conclut que ceux et celles qui ont au moins deux orgasmes par semaine ont un taux de mortalité 50 % plus faible que les autres. Le Journal suggère que les agences gouvernementales entreprennent une campagne de publicité à ce sujet afin de faire baisser le coût des soins de santé des personnes âgées.

Que vous ayez ou non un partenaire sexuel régulier, voici quelques conseils d'exercices qui, pratiqués hebdomadairement, peuvent vous aider à ralentir le processus de dégénérescence de vos organes génitaux et ainsi prévenir ou retarder vos difficultés sexuelles.

1. La **masturbation** constitue évidemment l'un des meilleurs exercices pour entretenir sa fonction sexuelle. Facilement accessible, elle permet le cycle complet des réactions sexuelles. Quoiqu'elle soit un tabou fortement enraciné dans notre société et que la majorité des gens se sente mal à l'aise pour en parler, la masturbation est pratiquée sur une base plus ou moins régulière : 95 % des hommes se sont déjà masturbés ; 85 % des femmes l'ont déjà fait au moins une fois.

Les hommes âgés ont probablement appris, tout comme moi, que pour devenir adulte et responsable, il fallait apprendre à contrôler (i.e. à réprimer) sa masturbation, sinon on risquait de s'empêtrer dans ce vice solitaire. La réalité est que les hommes adultes possèdent deux vies sexuelles : relations sexuelles et masturbation. Ces deux activités sexuelles sont inversement proportionnelles : plus l'homme a une partenaire sexuelle réceptive, moins il se masturbe et vice versa.

Malgré tout ce qui a été écrit contre la masturbation depuis trois siècles, jamais personne n'a réussi à prouver que ce comportement pouvait être nocif, physiquement ou psychologiquement. Au contraire, les thérapeutes sexuels, à la suite de Masters et Johnson, ont démontré que la masturbation pouvait :

• aider les femmes à apprendre à orgasmer et ensuite à transférer cet apprentissage à la relation sexuelle ;
• prévenir la sécheresse et la dégénérescence vaginales chez la femme âgée ;

- aider les hommes à gérer la rapidité de leurs éjaculations ;
- être une excellente variation sexuelle pour le couple à la recherche de diversité sexuelle ;
- être un adjuvant satisfaisant et temporaire chez les personnes vivant seules ;
- être une excellente technique de « safe sex » à l'ère du sida ;
- être utilisée par les femmes pour enseigner à leurs partenaires ce qu'elles aiment comme caresses ;
- constituer un excellent relaxant musculaire et un somnifère sans effets secondaires négatifs.

Pour plusieurs femmes, la masturbation fut le moyen qui, avec la douche téléphone ou le vibrateur, leur a permis de connaître leur premier orgasme. J'ai le témoignage de nombreuses femmes à ce sujet, dont l'une, Thérèse, qui y parvint à l'âge de 65 ans. Son seul regret : ne pas avoir commencé avant. La masturbation permet à la femme d'apprendre le chemin qui la mène à l'orgasme, chemin qu'elle peut par la suite enseigner à son partenaire. Pour certaines femmes, la masturbation constitue le seul moyen qu'elles ont finalement trouvé pour orgasmer à la suite d'un coït qui les a laissées sur leur faim. Pour elles aussi, la masturbation se révèle un excellent moyen pour se garder en forme sexuelle.

2. Faites vos **exercices de Kegel**. Vous êtes bloqué dans la circulation, vous êtes dans une file d'attente à la banque, vous avez cinq minutes à perdre, vous êtes aux prises avec une personne qui souffre de logorrhée..., profitez-en pour faire les exercices de Kegel tels que décrits au chapitre précédent. Ces exercices ont fait leurs preuves non seulement dans la prévention de l'impuissance et de la perte de libido, mais aussi dans le traitement de l'impuissance, de l'éjaculation précoce, du vaginisme et de l'anorgasmie.

3. Faites durer vos **érections matinales, nocturnes ou diurnes.**
Comme la majorité des hommes, vous avez plusieurs érections
pendant votre sommeil ; ces érections surviennent lors de la
phase de sommeil profond, au moment où vous rêvez. Vous
vous réveillez probablement très souvent le matin avec une
érection généralement très dure[1]. De plus, vous pouvez avoir,
au cours d'une journée, des érections spontanées, sans raison
ou au passage d'un jolie femme. Profitez de ces différentes
occasions, pour entretenir ces érections plus longtemps que
vous le feriez normalement. Ce faisant, vous augmentez l'irrigation sanguine de vos tissus péniens et, par le fait même, leur
oxygénation. Si votre cerveau réagit par la panique lorsqu'il
manque d'oxygène, votre pénis, lui, réagit par l'impuissance.
L'érection est bonne pour l'érection.

4. Le **massage du périnée**. Le périnée est cette partie située,
chez l'homme, entre l'anus et le scrotum et, chez la femme,
entre l'anus et l'ouverture vaginale. Cette partie est souvent
très contractée chez les gens qui ont de la difficulté à se laisser
aller pour jouir ou pour évacuer (constipation) et particulièrement chez les femmes souffrant de vaginisme. Le massage de
cette zone permet aussi de détendre une partie importante du
muscle PC et facilite ainsi une plus grande dextérité dans les
exercices de Kegel.

La meilleure façon de masser le périnée est d'y exercer des pressions avec le bout des doigts, comme dans le massage shiatsu[2].
Vous pourrez alors vérifier la tension ou non de votre périnée.
En cherchant bien, vous trouverez même un endroit de la
grosseur d'un bout de doigt où votre doigt s'enfoncera plus
facilement. Cet endroit correspond au point d'acupuncture
appelé DuMo #1, utilisé par les acupuncteurs chinois dans le
traitement des troubles prostatiques.

Toute pression, plus ou moins forte, exercée sur ce point du périnée stimule la prostate et avive le PC situé juste à la base du pénis. Si vous êtes alors en érection, vous verrez votre pénis s'allonger de quelques centimètres. Ce n'est toutefois que temporaire et votre pénis revient à sa place lorsque vous relâchez la pression. Votre partenaire peut aussi vous faire ce petit massage du périnée[3].

5. Faites une **pause érotique** quotidienne. Chacun possède des moments dans la journée où il est plus facilement excitable. Trouvez alors un endroit tranquille et prenez une dizaine de minutes pour vous faire un scénario érotique. Laissez votre esprit, votre pénis ou votre clitoris vous amener là où ils veulent. Tout apport de sang, même pour de brèves périodes, nourrit vos organes génitaux et les aide à se garder en forme. Faites-le tous les jours, ne serait-ce que durant quelques secondes.

6. **Déliez votre bassin**. Essayez l'exercice suivant : debout, les genoux légèrement fléchis, les mains sur les hanches ; imaginez que vous avez un grand crayon partant de votre périnée et allant jusqu'au sol ; écrivez, à l'aide de rotations de votre bassin, des grands O au sol, puis des grands U et finalement des grands I. La mobilité de votre bassin et la souplesse des muscles pelviens sont nécessaires à la jouissance de votre sexualité. Un bassin trop tendu peut être cause d'éjaculation précoce ou de difficultés orgasmiques. Si vous êtes incapable d'écrire un O-U-I au sol, inscrivez-vous à des cours pour vous aider à assouplir les muscles de votre bassin.

7. **Insertions vaginales**. Surtout si vous êtes privée de partenaire sexuel, insérez régulièrement un dildo ou un godemiché dans votre vagin afin d'en conserver l'élasticité. Ayez soin de le nettoyer et de le lubrifier avec une crème antiallergène.

Ce qui est vrai pour les hommes l'est aussi pour les femmes au niveau sexuel : l'activité des organes génitaux les garde en bonne forme et en bonne santé. L'oxygénation des tissus vulvaires et vaginaux est nécessaire à leur bon entretien : **la lubrification vaginale est bonne pour la lubrification vaginale**.

7.2 La relaxation

Je vous ai dit à quelques reprises que les réactions sexuelles sont des réflexes qui surviennent lorsque votre corps exprime une faim sexuelle et qu'il est détendu. Plus vous serez détendu, plus facilement et rapidement surviendront vos réactions sexuelles, si votre corps en ressent le besoin. Vous ne pouvez commander volontairement une érection ou une lubrification, mais vous pouvez créer un climat de détente érotique facilitant le réflexe érectile ou la lubrification. Rappelez-vous que votre sexualité est sous le contrôle de votre système nerveux parasympathique, lequel est responsable de la mise au repos de vos fonctions corporelles et de leur récupération énergétique. En apprenant à relaxer de différentes manières, vous pourrez plus facilement apprendre à vous laisser aller lors de vos relations sexuelles. Voici quelques suggestions.

1. **Modifiez vos habitudes**. Exprimez calmement, mais fermement, tous vos griefs à votre partenaire. Fermez la télévision et couchez-vous plus tôt : pour la majorité des hommes et des femmes, huit à neuf heures de sommeil sont nécessaires, même si en vieillissant le sommeil semble plus difficile. Débranchez le téléphone. Passez des soirées en tête-à-tête.

2. **Prenez des vacances**. Vous le savez, les vacances ont généralement un effet régénérateur sur la sexualité conjugale, à la condition de laisser les enfants à la maison. Si vous êtes

déjà à la retraite, profitez-en pour voyager et visiter des endroits exotiques en vous tenant par la main, en amants. Allez passer une semaine dans des Spas, des Centres de santé, des stations thermales européennes…

3. Recevez et donnez des massages. Des recherches ont prouvé que deux massages hebdomadaires d'à peine quinze minutes par session abaissent considérablement le stress, l'anxiété et même la dépression qui, on le sait, tuent le désir et les réactions sexuelles. Le massage agit en abaissant le taux de cortisol, une hormone dont la sécrétion est augmentée par le stress et qui inhibe la réponse sexuelle tant chez l'homme que chez la femme. Il n'est pas nécessaire d'être massothérapeutes pour échanger un massage qui peut devenir, à l'intérieur d'un couple, une invitation à la détente et à la sexualité. Vous pouvez aussi suivre un atelier d'initiation aux massages donné par des écoles de massothérapie ou consulter régulièrement un massothérapeute professionnel.

Il existe une grande variété de massages : suédois, shiatsu, californien, thaïlandais, japonais, néoreichien… mais, peu importe le type, tous ont en commun d'induire une détente profonde. Or, la détente est nécessaire pour que la sexualité puisse fonctionner normalement. Ce sont souvent les individus tendus et stressés qui ont le plus de difficultés à fonctionner sexuellement. Les individus aux prises avec des difficultés d'érection, de lubrification, de libido ou d'orgasme sont très souvent des personnes hyperconscientes de leurs réactions sexuelles : Vais-je avoir une érection ? Vais-je pouvoir la maintenir ? Vais-je pouvoir orgasmer ? Elles sont devenues observatrices de leur comportement et, ce faisant, elles inhibent leurs réactions réflexes, car l'observation et le questionnement mental sont sous le contrôle du système nerveux sympathique.

La massothérapie, en enseignant au corps le laisser aller nécessaire aux réflexes sexuels (excitation, érection, lubrification, orgasme), peut ainsi devenir un outil pratique fort efficace en thérapie sans qu'il soit nécessaire de faire appel à un(e) partenaire sexuel(le) substitut (surrogate[4]). Le massage agit par lui-même en sortant l'individu de sa tête et en le reconnectant avec son corps et la sagesse de son fonctionnement.

4. **Suivez des cours en approches psychocorporelles**. Toute tension psychique ou corporelle possède une influence inhibante sur la libido. Entre autres, les tensions corporelles situées au niveau du bassin. Plusieurs personnes éprouvant une baisse de libido ou des difficultés de fonctionnement sexuel sont souvent aux prises avec des douleurs lombaires ou des maux de dos chroniques. Tout exercice qui détend les muscles du bassin et la musculature dorsale aura des conséquences positives sur l'exercice de la sexualité. Quoique les études n'en soient qu'à leurs débuts sur ce sujet, plusieurs approches dites psychocorporelles démontrent des effets bénéfiques sur la libido. Une approche psychocorporelle est une approche qui utilise un ou plusieurs exercices physiques pour améliorer la santé mentale du sujet. *Mens sana in corpore sano*. Un esprit sain dans un corps sain. Les techniques suivantes sont parmi les meilleures pour intensifier la libido et faciliter les mouvements nécessaires au coït et à l'orgasme :

• **Technique Nadeau.** M. Henri Nadeau était mourant à 60 ans et « décompté » par la médecine officielle. Refusant le diagnostic, celui-ci développa trois exercices de rotation du bassin, du tronc et de la tête afin d'activer l'ensemble de sa colonne vertébrale. Au bout de quelques mois, il retrouva la santé et sortit de l'hôpital. Aujourd'hui, 20 ans plus tard, il ressemble à un jeune homme de… 60 ans et il est en pleine forme.

Lui-même et plusieurs adeptes de la technique Nadeau rapportent une augmentation de leur libido et une plus grande facilité à faire l'amour suite à un accroissement de leur vitalité.

• **Baladi.** Le baladi, c'est la fameuse danse du ventre des contes des Mille et une nuits. Les adeptes de cette danse développent une mobilité extraordinaire et un contrôle exceptionnel des muscles de leur bassin et rapportent, eux et elles aussi, une intensification de leur sensualité et de leur énergie sexuelle.

• **Antigymnastique.** Développée par Thérèse Bertherat, l'antigymnastique rassemble une série d'exercices utilisant des balles, des bâtons, des traversins pour détendre la musculature dorsale à l'aide de mouvements lents et bien sentis. Dans la même philosophie d'exercices existent aussi l'eutonie et la méthode Alexander.

• **Yoga.** Le yoga est un ensemble d'exercices de respiration et de postures qui permet le développement d'un contrôle plus conscient de son corps et d'une souplesse corporelle assez étonnante. Certains exercices travaillent plus particulièrement la région du bassin et provoquent une intensification et une meilleure circulation de la kundalini (énergie sexuelle).

D'autres approches corporelles telles que le rolfing, l'intégration posturale, la bioénergie, le rebirth... travaillent sur la musculature et la structure corporelle afin de délier les noeuds de tension et permettre à l'énergie (y compris l'énergie sexuelle) de mieux circuler dans le corps. La pratique régulière de l'une ou l'autre de ces approches compense très souvent la nécessité d'une thérapie sexuelle. Certains sexothérapeutes les utilisent aussi comme outils complémentaires. C'est ce que nous faisons au Centre Psycho-Corporel de Québec.

Le lien entre tous ces exercices et techniques est d'apprendre à relaxer et à respirer afin de recontacter la capacité de plaisir du corps humain. La survie de l'espèce humaine est assurée et nous vivons, du moins dans nos pays, dans une société dite de loisirs ; alors, pourquoi ne pas en profiter et en jouir ?

7.3 L'activité physique : un incontournable

Pour avoir une sexualité épanouie, vous devez être en santé et en forme physique. Plusieurs études ont démontré, sans l'ombre d'un doute, la relation directement proportionnelle entre la forme physique et la santé sexuelle, tant chez l'homme que chez la femme de plus de 40 ans. Toutes les recherches prouvent que les personnes qui font de l'exercice physique au moins trois fois par semaine, à raison de 30 à 40 minutes à chaque fois, ont une meilleure santé et une meilleure sexualité que les personnes inactives. Leur libido reste à un niveau plus élevé, leur fréquence orgasmique est supérieure jusqu'à un âge avancé et il leur est plus facile de fonctionner sexuellement ; une amélioration que l'on évalue à plus de 30 %.

Plusieurs raisons expliquent le lien existant entre la bonne forme, l'âge et la libido :

1. Des raisons psychologiques. L'exercice augmente votre estime de vous-même : le fait de vous regarder dans le miroir et de vous trouver beau vous fait vous sentir bien. Vous avez plus de goût de séduire si vous vous sentez séduisant. Votre partenaire vous complimente et se sent attiré par vous.

2. Des raisons physiologiques. Les exercices cardiovasculaires ont un effet direct important sur votre performance sexuelle car ils augmentent la circulation sanguine, nécessaire aux réactions

sexuelles. Des recherches récentes ont prouvé que l'exercice stimulait la production de testostérone chez les hommes et chez les femmes. L'exercice augmente aussi votre force et votre flexibilité, toutes deux nécessaires lors de relations sexuelles. La sécrétion d'endorphines provoquée par l'exercice vous procure des sensations de détente et de bien-être. Finalement, l'exercice réduit votre stress en oxygénant tout votre corps et votre cerveau.

Toutefois, pour être efficace, point n'est besoin de vous inscrire à un programme d'entraînement olympique. N'importe quelle activité physique qui permettra une augmentation du rythme cardiaque pour au moins vingt minutes et une oxygénation maximale du cerveau sera bonne pour votre libido. Trop d'exercices pourrait même vous nuire. Si vous optez pour le jogging, sachez qu'une recherche faite par Ann Arbor et Ariel Barkan, tous deux médecins à l'université du Michigan, a démontré que si vous courez plus de 325 km (200 milles) par semaine, vous ferez chuter votre taux de testostérone ; 50 km (30 milles) semble être la distance hebdomadaire optimale pour améliorer vos performances sexuelles.

D'après le docteur Kenneth Goldberg, urologue et directeur du Male Health Institute de Baylor, Texas, un programme d'exercices physiques doit comprendre les quatre éléments suivants pour donner les meilleurs résultats au niveau de la sexualité :

1. des exercices aérobiques pour augmenter l'oxygénation et la circulation sanguine ;

2. des exercices de stretching pour assouplir la musculature et augmenter la flexibilité corporelle ;

3. des poids et haltères pour intensifier la force du haut du corps et du bas du corps ; et

4. des exercices de Kegel pour renforcer les muscles génitaux et accroître la qualité des érections.

Le meilleur exercice pour conserver votre libido à un haut niveau est un exercice facile, accessible à tous, non dispendieux et qui peut être très agréable : la marche rapide. C'est aussi le meilleur exercice pour graduellement perdre du poids pour toujours. Vous pouvez dépenser une fortune dans l'achat d'appareils stationnaires, mais votre marche sera encore plus rentable si vous allez dehors, de préférence dans la nature, là où l'oxygène est pur, plutôt qu'au centre-ville. De plus, si vous variez vos parcours et le décor, vous aurez plus de facilité à persévérer que si vous regardez toujours le même mur. Trouvez-vous une paire de chaussures de marche confortables et allez découvrir votre environnement. Mieux encore : joignez le club de marche de votre secteur et découvrez les nombreux circuits aménagés pour la marche. Non seulement vous respirerez de l'air pur, vous dormirez mieux le soir, vous serez en meilleure santé, vous perdrez du poids, vous réfléchirez mieux et vous ferez plus facilement l'amour (tous ces bénéfices ont été scientifiquement démontrés), mais vous vous ferez probablement de nouveaux amis qui vous aideront à persévérer. Et si vous êtes célibataire…

D'autres exercices peuvent aussi améliorer votre système cardio-vasculaire : les exercices aérobiques, la natation, le jogging, la bicyclette[5]. Dans le cas de la bicyclette, assurez-vous d'avoir un siège confortable et non un siège dur et étroit qui comprimerait vos artères péniennes et qui pourrait, au contraire, provoquer l'impuissance.

Contrairement à la croyance populaire qui le présente souvent comme un sport de « pépères », le golf constitue un excellent exercice et un exercice exigeant si vous marchez le parcours plutôt que de louer une voiturette. Si vous jouez trois 18-trous par semaine, vous marcherez un minimum de 20 km (12 milles) à la condition de frapper droit, brûlerez 4 380 calories, aurez du plaisir, prendrez du soleil et rencontrerez probablement des gens très intéressants, personnellement et/ou professionnellement. Prenez toutefois le temps de réchauffer vos muscles avant le départ, sinon vous risquez des maux de dos nuisibles à votre sexualité.

Le golf est aussi une activité très instructive dont vous pouvez tirer de nombreuses leçons de vie, y compris pour votre vie sexuelle. La loi du paradoxe, dont nous avons parlé au chapitre 5, se trouve continuellement confirmée au golf:

1. Plus vous voulez frapper fort et loin, plus votre balle risque de se perdre dans le bois. Par contre, vos meilleures performances sont réalisées au moment où vous vous y attendez le moins, au moment où vous êtes le plus relax et où vous prenez simplement plaisir à jouer.

2. Plus vous vous concentrez sur votre élan afin qu'il soit impeccable, plus vous vous retrouvez en déséquilibre et commettez d'erreurs. Plus vous laissez votre corps effectuer l'élan qu'il a appris à faire après toutes vos heures de pratique, plus esthétique est votre élan et meilleure est la distance.

3. Plus vous vous dites: « Il ne faut pas que ma balle aille dans le ruisseau, le lac ou la trappe de sable. » « Il ne faut pas que je dépasse le vert. » « Il ne faut pas que je manque mon coup. », plus vous augmentez les probabilités d'expédier votre balle là où vous ne le voulez pas, comme si votre inconscient n'enregistrait pas la forme négative.

4. Plus vous voulez réussir votre coup de départ pour faire bonne impression devant tous ceux et celles qui vous observent, plus ce coup risque d'être le pire de votre partie.

Et ainsi de suite. Le golf peut vous apprendre comment mieux faire l'amour: cessez de vouloir performer, cessez de viser le meilleur résultat possible, cesser de vouloir «tirer le meilleur coup», cesser de vouloir impressionner, cessez de vous observer jouer... et meilleur sera votre résultat. Concentrez-vous sur le jeu, admirez le paysage, riez avec vos partenaires, sentez le plaisir de «respirer un bon coup», appliquez les trois règles fondamentales du golf (planification, concentration, exécution), visualisez la trajectoire de la balle... et plus grand sera votre plaisir. Et pourquoi ne pas jouer au golf avec votre partenaire de vie comme préparation au 19e.

L'important, dans l'activité physique, n'est pas la performance, mais la régularité: si vous voulez conserver longtemps votre libido à un haut niveau, vous devrez faire de l'exercice longtemps. Pour que vous puissiez faire de l'exercice longtemps et régulièrement, trouvez-vous une activité qui vous apporte du plaisir et non pas de l'ennui. Pour vous aider à persévérer, trouvez-vous un compagnon ou une compagne de jeu (d'exercice). Diversifiez vos activités sportives: ski de fond (hiver), natation (printemps), bicyclette et golf (été), randonnées pédestres (automne). Au lieu d'aller à Cancun ou Acapulco l'hiver prochain vous empiffrer et boire des «margarita» et des «cuba libre», pourquoi ne pas joindre le Club Aventure ou vous inscrire à un stage de golf à Myrtle Beach, seul ou avec votre partenaire?

7.4 L'alimentation

1. La recherche d'un aphrodisiaque

Disons-le immédiatement: **il n'existe pas de réel aliment aphrodisiaque**. Toutes les recherches expérimentales faites en sexologie arrivent à une seule et même conclusion: il n'existe aucun rapport significatif entre les différents produits présentés comme aphrodisiaques[6] et une quelconque augmentation de la libido. Si jamais il leur arrive de renforcer le comportement sexuel, c'est uniquement à titre de placebo, c'est-à-dire que c'est la croyance en l'effet aphrodisiaque du produit qui agit et non le produit lui-même, ce qui nous démontre la force de l'esprit.

Certes, il existe des substances chimiques pouvant avoir des effets directs ou indirects sur l'intensité de votre pulsion sexuelle, mais ces substances doivent être prises sous supervision médicale car elles peuvent être très dangereuses. Voici l'état de la question concernant les aphrodisiaques :

1. Les **androgènes**, dont la testostérone, sont la seule substance actuellement disponible qui intensifie véritablement la pulsion sexuelle sans altérer la conscience. Ils sont utilisés, nous l'avons déjà vu, en hormonothérapie. Les injections de testostérone peuvent toutefois, à moyen terme, avoir un effet pervers en empêchant le corps de produire lui-même sa propre testostérone. C'est pourquoi les urologues ne la prescrivent que lorsqu'il y a une baisse dramatique de testostérone naturelle. Utilisée sans supervision, pour augmenter ses performances olympiques par exemple, le surplus de testostérone provoque la stérilité autant chez l'homme que chez la femme et de sérieux dommages au foie et aux testicules. Sans parler du risque d'accélération du cancer de la prostate latent ou préexistant.

2. La **cantharide** (spanish fly) provient d'un insecte du bassin méditerranéen réduit en poudre. Elle ne possède pas un réel effet aphrodisiaque, mais irritant le tractus génito-urétral, elle provoque une pseudo-excitation sexuelle accompagnée de priapisme[7]. Ses effets secondaires vont du vomissement aux douleurs abdominales en passant par des dommages aux reins.

Dangereusement toxique, la cantharide peut être mortelle à forte dose. Le divin marquis de Sade fut emprisonné pour en avoir fait un large usage sur ses victimes.

3. Le **nitrite d'amyle** (poppers), vaso-dilatateur prescrit pour soulager l'angine de poitrine, renforce l'intensité des sensations et le plaisir orgasmique. Les poppers sont très populaires dans la communauté gaie mais ils sont extrêmement dangereux et même mortels. Ils provoquent aussi des maux de tête et de la confusion mentale.

4. Le **yohimbine** est un alcaloïde extrait de l'écorce d'un arbre africain, le corynanthe yohimbe ; consommé sous forme de thé, il est présenté comme une « potion d'amour ». Il a été largement utilisé dans le traitement de l'impuissance masculine causée par le diabète ou les problèmes vasculaires au cours des années 60 et 70 mais fut retiré du marché à cause de ses effets extrêmement toxiques : mieux vaut être impuissant que mort. Des recherches plus récentes démontrent des effets positifs chez environ un tiers d'hommes impuissants, sans que l'on sache encore trop comment ni pourquoi. Le yohimbine a tendance à augmenter la pression sanguine systolique, effet secondaire particulièrement dangereux et pas seulement pour les cardiaques.

5. Les **phéromones** ou pherhormones sont des sécrétions glandulaires comparables aux hormones, mais qui sont rejetées hors de l'organisme. Nous savons qu'elles existent chez les insectes et certaines espèces animales. Nous en soupçonnons l'existence chez l'être humain, sans en avoir encore de preuves scientifiques certaines ; elles se présenteraient sous forme d'odeurs corporelles attirant certaines personnes et en éloignant d'autres. On croit aussi qu'au moment de l'ovulation, la femme émettrait des

phéromones inconsciemment perçues par l'homme qui attiseraient son désir sexuel et augmenteraient la probabilité de relations sexuelles. Ce sont aussi ces phéromones qui amèneraient les femmes qui cohabitent à synchroniser leurs cycles menstruels après quelques mois.

6. Le **chocolat** n'est pas un aphrodisiaque mais il contient une substance qui s'accumule dans les centres du plaisir du cerveau et produit des sensations similaires aux sensations éprouvées lors de l'excitation sexuelle. Il ne stimule pas le désir sexuel comme tel mais certaines personnes le préfèrent à la sexualité.

7. Contrairement à la croyance populaire, il n'existe aucune preuve scientifique que le **ginseng** puisse avoir un effet aphrodisiaque. Si effet il y a, c'est un effet placebo dû à la ressemblance de la plante avec le corps masculin.

Il est théoriquement possible que l'on découvre un jour des stimulants sexuels susceptibles d'intensifier la sensibilité et les réactions des organes génitaux sans provoquer d'effets secondaires déplaisants ou toxiques, mais cette possibilité est du domaine du futur. En attendant, mangez bien, tenez-vous en forme et devenez amoureux, car la santé, l'amour et un brin d'imagination constitueront toujours les plus puissants aphrodisiaques.

2. Conseils alimentaires

Tous les aliments suceptibles d'améliorer votre santé auront un effet bénéfique sur votre sexualité. De multiples recherches universitaires rapportées entre autres par *Men's Confidential, The Sex and Health Newsletter for Men*, un bulletin mensuel d'information consacré à la santé et à la sexualité masculines, suggèrent de modifier votre alimentation en tenant compte des informations suivantes :

• la caféine stimule la vivacité des spermatozoïdes et semble avoir un effet positif sur l'activité sexuelle à la condition de n'en prendre qu'une à deux tasses par jour ; au-delà de six tasses, vous êtes considéré comme un caféinomane et trop de caféine risque de nuire à votre performance sexuelle ;

• le gruau diminue le mauvais cholestérol qui risque de boucher vos artères ;

• la cannelle aide votre corps à supprimer le sucre ;

• le thé contient des flavonoïdes qui abaissent votre cholestérol ;

• le poisson, en particulier le thon, contient de l'arginine, un acide aminé important dans la composition de l'oxyde nitrique, un gaz produit par le pénis pour détendre les petits muscles péniens et faciliter l'arrivée du sang dans les tissus ;

• les noix contiennent de la vitamine E, un véritable garde du corps pour le pénis, ainsi que de l'arginine ;

• un ou deux verres de vin rouge sec par jour augmentent aussi la production de flavonoïdes ;

• la vitamine C, celle que vous procure le jus d'orange ou de pamplemousse que vous aurez vous-même pressé, exerce une influence très positive sur la santé de vos artères ;

• les légumes frais sont bourrés de vitamines A et C qui augmentent la production de vos hormones sexuelles ;

• le pain de blé entier contient du manganèse qui stimule la production de la dopamine, hormone associée au plaisir ;

- les fruits tels que les bananes, les melons, les figues contiennent de la vitamine B essentielle à la synthèse et à l'équilibre de vos hormones sexuelles ;

- l'eau hydrate votre corps et nourrit le sang qui nourrit vos érections ;

- l'odeur de la réglisse noire, d'une tarte à la citrouille ou d'oranges fraîches semble avoir une valeur aphrodisiaque et augmente l'apport de sang d'environ 30 % à votre pénis ;

- un lait chaud à la vanille saupoudré de clous de girofle ou de cannelle avec un peu de miel donne suffisamment d'énergie pour vouloir recommencer dans les meilleurs délais ;

- les huîtres et les noix vous redonnent tout le zinc que vous venez d'éjaculer, soit environ 0.6 mg à chacune de vos éjaculations ;

- une tomate par jour semble tenir à distance l'urologue car elle contient du lycopène, un nutriment qui préviendrait le cancer de la prostate ;

À noter qu'aucun des produits ci-dessus mentionnés n'agit comme aphrodisiaque ; ils permettent tout simplement de vous garder en meilleure santé et **ce qui est bon pour votre santé est bon pour votre sexualité**. Des recherches, là aussi rapportées par *Men's Confidential*, ont démontré qu'une carence dans l'un ou l'autre des minéraux, vitamines ou aliments énumérés ci-dessus était reliée à l'affaiblissement de la libido, à la diminution de la quantité d'éjaculat et à l'hypertrophie de la prostate. Vous avez donc avantage à surveiller votre alimentation quotidienne et à réagir rapidement si une déficience se manifeste.

Les naturopathes et naturothérapeutes ont particulièrement étudié la ménopause et ont découvert plusieurs plantes pouvant compenser l'hormonothérapie d'une façon naturelle[8]. Voici quelques-unes de leurs suggestions :

• l'actée à grappes, le trèfle rouge, le Dong Quai (angelica sinensis), le gatillier et le pissenlit constituent des sources importantes d'oestrogènes végétaux et d'isoflavones ; ceux-ci peuvent rétablir l'équilibre hormonal de la femme ménopausée et diminuer les bouffées de chaleur, les insomnies, les sautes d'humeur et les variations de poids ;

• quelques cuillerées d'huile d'olive tous les jours améliorent les problèmes d'assèchement de la muqueuse vaginale ;

• une alimentation riche en fruits, en légumes, en fibres, en poisson, en noix et en eau (de un à deux litres par jour) crée un terrain propice pour retarder longtemps le développement de l'ostéoporose ;

• le lait fermenté biologique, les graines de tournesol, les graines de sésame et les légumes vert foncé constituent d'excellentes sources en calcium nécessaire à la conservation de la masse osseuse de la femme ménopausée.

Les diététiciens, préoccupés par la santé sexuelle de leurs clients, donnent souvent les conseils suivants :

1. Coupez le gras partout, que ce soit dans la viande, les oeufs, le beurre, le fromage, le lait entier ou la crème glacée.

2. Évitez le pain sucré, les abats, le sel et les aliments déjà préparés.

3. Augmentez votre consommation de poisson et de volaille.

4. Mangez le plus possible de fruits et de légumes frais ainsi que des céréales à grain entier.

La nutritionniste Josiane Cyr, à la suite de Daniel Lavoie, auteur de *La nutrition : facteur de prévention contre le cancer de la prostate*, rapporte que les phytoestrogènes (génistéine, lignan...) constituent une substance particulièrement efficace dans la prévention du cancer de la prostate. Ce composé végétal, semblable aux hormones femelles, se retrouve dans les fèves de soya et tous ses dérivés, les produits céréaliers, les fruits, les légumes et la graine de lin.

En fait, tous ces aliments n'ont pas d'effets directs, positifs ou négatifs, sur votre sexualité. Mais, nous le répétons, tout ce qui est bon pour votre santé, et particulièrement la santé de vos artères, ne peut être que bénéfique pour vos érections et vos lubrifications. Ils ne sont donc pas à négliger.

Si vous voulez conserver ou augmenter votre longévité sexuelle, commencez maintenant.

Chapitre

8

La variété sexuelle

8.1 Les étapes de l'évolution sexuelle du couple

J'ai souvent reçu des couples dont la vie sexuelle avait évolué de la façon suivante :

1. **La lune de miel.** Au moment de leurs fréquentations et au début de leur vie commune, ils font l'amour sans cesse, parfois quotidiennement. Ils inventent des jeux, rient, parlent, font l'amour un peu partout, toujours spontanément. Leur relation, romantique et sexuelle, est leur priorité.

2. **L'adaptation.** Puis, après deux ou trois ans de passion intense, la fréquence sexuelle diminue progressivement en même temps que diminuent les échanges romantiques. Ils deviennent parents et/ou mettent l'accent sur leurs professions respectives. Ils continuent d'être heureux et de faire des projets, mais leur bonheur devient plus tranquille. Ils font maintenant l'amour deux à trois fois par semaine. Ils laissent tranquillement le quotidien s'installer.

3. **La monotonie.** Ils savent, ou croient savoir, tout l'un de l'autre. Ils ne font plus d'effort pour apporter de la nouveauté. Ils font l'amour toujours à la même place, à la même heure, de la même façon. C'est sécurisant, mais drôlement plate. Ils sont mari et femme, les deux amants s'étant endormis. Leur fréquence sexuelle est d'une fois par une ou deux semaines.

4. **Les difficultés.** Ils regardent la TV tous les soirs, très tard, et évitent de discuter de ce qui se passe entre eux. La rancune réciproque augmente car ils se sont laissé envahir par les responsabilités quotidiennes. Ils ont égaré leurs rêves d'une vie trépidante et vivent l'un à côté de l'autre. L'âge aidant, ils perdent leur libido, deviennent impuissants, anorgasmiques, ou cherchent ailleurs l'étincelle qu'ils ont laissée s'éteindre entre eux.

Pour la majorité des vieux couples, faire l'amour devient affaire de routine. Ils le font toujours au lit, à la noirceur, sous les couvertures, avant de s'endormir, le samedi soir, sans atmosphère érotique, en 10-15 minutes. Ce qui, à la longue, devient plate et ennuyant.

Pourtant, il n'est pas obligatoire qu'il en soit ainsi. Beaucoup peut être fait pour entretenir une relation amoureuse et érotique excitante. Mais cela demande des efforts. Cela exige que vous ne laissiez pas les parents que vous êtes devenus prendre la place des amants que vous êtes ; cela exige que vous placiez votre sexualité de couple en tête de vos priorités, avant la télévision, le budget, le travail que vous avez rapporté du bureau, les caprices des enfants… Cela exige que vous essayiez d'entretenir la passion qui existe entre vous deux et de renouveler continuellement votre relation amoureuse et sexuelle.

Après la routine, le pire ennemi du couple (et de l'esprit de famille) est la télévision ; fermez-la, planifiez votre écoute ou enregistrez les émissions qui vous intéressent pour les visionner à un autre moment. Partez en vacances sans les enfants ou envoyez-les en colonie de vacances pour vous retrouver seuls à la maison. Payez-vous régulièrement une soirée théâtre ou cinéma, seul à seule ; faites une folie et allez passer une nuit au meilleur hôtel de la ville, après avoir soupé dans le meilleur restaurant : au diable le budget, votre vie de couple amoureux vaut bien quelques privations financières. De toute façon, aucun coffre-fort ne suivra votre corbillard.

Discutez entre vous de votre sexualité ; lisez des livres érotiques ensemble. Caressez-vous fréquemment en dehors de vos rencontres sexuelles, pas seulement au moment de faire l'amour. Dites à l'autre ce que vous appréciez chez lui ; dites-lui pourquoi vous êtes tombé en amour avec lui, il y a vingt ou trente ans, et pourquoi vous continuez d'être bien avec lui. N'attendez pas les occasions spéciales (anniversaire, Noël, fêtes commerciales) pour vous faire des cadeaux ; surprenez votre partenaire. Faites l'amour différemment, plus rapidement ou plus lentement, ailleurs que dans la chambre à coucher, à des moments inattendus, à des heures variées, dans de nouvelles positions.

8.2 Suggestions érotiques

Voici des suggestions qui ont permis à plusieurs couples de remettre un peu de piquant dans leur vie sexuelle. Ces suggestions peuvent peut-être vous apparaître trop romantiques, trop bizarres ou réservées aux jeunes couples d'amoureux. Mais ce serait une erreur de le croire ! Donnez-vous plutôt la chance de les expérimenter. Vous pourriez être surpris des résultats, si vous réussissez à faire taire vos autoverbalisations intérieures et votre gêne réciproque. Laissez libre cours à votre imagination et permettez-vous de réaliser vos fantasmes, peu importe votre âge.

Après-midi romantique. Plutôt que de toujours faire l'amour le soir, alors que l'un et/ou l'autre tombe(nt) de fatigue, pourquoi ne pas vous réserver un après-midi où vous n'avez pas l'habitude de vous retrouver ensemble. Si c'est un après-midi de semaine, prenez une demi-journée de congé. Si c'est lors d'un week-end, éloignez les enfants, débranchez le téléphone et fermez la porte à double tour. Commandez-vous un repas exotique chez un traiteur renommé; débouchez une bouteille de vin ou de véritable champagne (au diable la dépense!); mettez des disques compacts de votre musique préférée; faites brûler de l'encens; aménagez un coin douillet dans le salon; donnez-vous un massage à tour de rôle; visionnez un film romantico-érotique si vous le désirez… et oubliez le reste du monde.

Bain de bulles. Un classique. Vous faites couler l'eau la plus chaude possible après y avoir versé du savon à bulles odoriférant et vous laissez les deux enfants sommeillant en vous s'amuser avec les bulles. Créez une atmosphère romantique en remplaçant la lumière par des chandelles et en faisant jouer de la musique. Apportez une bouteille de vin avec des raisins et des fruits déjà coupés; abreuvez et nourrissez votre partenaire. Si votre bain est trop petit pour être confortable à deux, prenez la position dite du bobsleigh et caressez-vous tout en vous lavant à tour de rôle. Puis enveloppez-vous dans d'immenses serviettes de bain les plus moelleuses que vous possédez et allez vous sécher dans votre lit. Et pourquoi ne pas vous enduire d'une crème hydratante elle aussi odoriférante?

Baiser génital. On appelle fellation la stimulation orale des organes génitaux mâles et cunnilingus, ou cunnilinctus, la stimulation orale des organes génitaux féminins. Cette stimulation orale provoque des sensations que vous ne pouvez obtenir autrement. Tous les animaux la pratiquent et les êtres humains le font aussi depuis la nuit des temps. La plupart des jeunes d'aujourd'hui ont intégré cette pratique dans leurs jeux sexuels. Par contre, pour les gens les plus âgés, elle a souvent été entourée de tabous. Pourtant, la peau du pénis ou de la vulve n'est pas différente de la peau de l'intérieur du coude, par exemple. Et une peau propre est une peau propre. Si vous ne pratiquez pas la stimulation orale des organes génitaux à cause d'une question d'hygiène, vous devriez plutôt cesser d'embrasser votre partenaire puisqu'il se transmet beaucoup plus de maladies par le baiser de la bouche que par le baiser génital.

Caresse prolongée des seins. La caresse des seins fait partie des plaisirs préliminaires chez la très grande majorité des femmes et chez environ 50 % des hommes. Vous pouvez continuer d'utiliser cette caresse comme préliminaire à la relation sexuelle ou bien faire réellement l'amour aux seins de votre partenaire. Première étape : accepter de se limiter aux seins. Deuxième étape : caresser les seins de votre partenaire de mille et une façons :

- les complimenter ;
- les dénuder lentement ;
- les admirer ;
- les soupeser ;
- les refléter dans un miroir ;
- passer vos mains tout autour sans les toucher réellement ;
- les effleurer du bout de vos doigts ;
- les humer ;
- regarder les mamelons venir en érection ;
- lécher tout le pourtour des seins ;
- les envelopper de vos mains, sans les caresser ;
- les caresser à tour de rôle avec vos deux mains ;
- les masser doucement, puis de plus en plus fermement, dans un mouvement partant de l'aisselle vers l'épaule opposée ;
- toucher le bout du mamelon le plus légèrement possible avec le bout de vos doigts et le faire tournoyer ;

- titiller les mamelons entre votre pouce et votre index, l'un à la suite de l'autre, puis simultanément;
- caresser les mamelons avec le creux chaud de votre paume;
- donner des dizaines de baisers sur les seins, sans embrasser les mamelons;
- utiliser des plumes, des Q-tips, du Saran-wrap, du coton, du lin, des fleurs, un petit plumeau… pour caresser les seins et les mamelons et leur faire vivre de multiples sensations au contact de multiples tissus et objets;
- lécher les mamelons avec l'extrémité de votre langue;
- les mordiller, les suçoter, les téter;
- y verser votre digestif préféré et les goûter en même temps que vous goûtez l'alcool;
- y mettre votre crème pâtissière préférée et les manger;
- alterner une caresse froide (glaçon) avec une caresse chaude (votre haleine);
- caresser un sein d'une main et embrasser l'autre avec votre bouche, vos lèvres ou votre langue;
- …laisser aller votre imagination…

Cette expérience extatique peut facilement s'étendre sur une période de 20 à 30 minutes. Et pourquoi ne pas faire aussi l'amour de cette façon avec les organes génitaux de votre partenaire, doucement, tout doucement… Seule condition: l'un est actif, l'autre complètement et exclusivement réceptif.

Déjeuner romantique. Profitez d'un dimanche matin où vous êtes tranquilles et avez tout votre temps. La veille, montez la table pour deux avec votre plus belle vaisselle. Ajoutez-y un bouquet de fleurs ou une rose rouge. Le lendemain, déjeunez en déshabillé sexy et robe de chambre, en tenue de soirée ou complètement nus, surtout si vous avez une terrasse à l'abri des regards et que le soleil est chaud. Évidemment, jus d'orange, champagne et musique romantique.

Films érotiques. Peu importe leur âge, les hommes sont beaucoup plus stimulés que les femmes par la vision de scènes érotiques, plus encore que par n'importe quelle autre source de stimulation. Regarder un film érotique est un excellent préliminaire pour l'homme en général et pour l'homme âgé en particulier. Il existe toutes sortes de films érotiques.

• Les films XXX. Contrairement à la croyance populaire qui prétend que seuls les hommes sont excités par ces films, nos recherches démontrent que le taux de testostérone augmente presque autant chez les femmes qui visionnent des films pornographiques. Leur attitude mentale négative envers les films pornos les empêcherait-elles d'y prendre plaisir ? Disponibles dans tous les clubs vidéos, ces films n'ont habituellement pas de scénario et ne sont qu'un prétexte pour montrer des couples en train de faire l'amour ; l'action y est surtout génitale. Surprenez votre mari en louant un tel film sans l'avertir.

• Il existe aussi des films érotiques où l'homme et la femme peuvent y trouver leur compte : une histoire romantique donnant lieu à des scènes érotiques plus ou moins explicites. Citons entre autres : *9 1/2 semaines, La leçon de piano, Les escarpins rouges, La vieille femme qui marchait dans la mer...* ; les films faits par les revues Playboy et Penthouse, quoique sans histoires, sont non seulement d'excellente qualité, mais plaisent aussi généralement aux deux membres du couple parce qu'ils mettent davantage l'accent sur l'érotisme que sur la génitalité.

• Il existe également des films didactiques sur la sexualité faits par des psychologues et des sexologues américains de renom. On y présente non seulement des données scientifiques sur la sexualité mais aussi des techniques sexuelles explicitement illustrées. Vous trouverez une liste de ces films dans la médiagraphie.

• Et pourquoi ne pas tourner votre propre vidéo érotique avec vous deux comme vedettes ? Vous pourriez vous les repasser 20 ou 30 ans plus tard.

Journée d'esclavage. Vous ne savez pas quoi offrir pour l'anniversaire de votre bien-aimé(e) ? Pourquoi ne pas lui offrir une journée complète durant laquelle vous serez entièrement à son service pour réaliser le moindre de ses caprices : de la vaisselle à faire pendant qu'il(elle) déguste le café que vous lui avez préparé à l'esclavage sexuel pour réaliser ses fantasmes les plus intimes, en passant par un massage des pieds ou le peignage de ses cheveux. Entendez-vous toutefois, au préalable, sur la limite à ne pas dépasser afin que votre esclave ne se sente pas « abusé ».

La journée d'esclavage permet de faire ressortir vos difficultés à donner, à recevoir et/ou à demander. Beaucoup d'hommes se perçoivent comme le pourvoyeur de caresses ou le responsable de l'initiative sexuelle et du déroulement de l'acte sexuel ; ils ont de la difficulté à seulement recevoir, percevant la réceptivité comme trop féminine. Beaucoup de femmes n'osent pas demander à leur partenaire de satisfaire leurs préférences sexuelles par peur de passer pour « vicieuses » ou d'essuyer un refus. Cet exercice vous donne la permission d'agir différemment de vos habitudes.

Lettre d'amour. Assoyez-vous et prenez le temps de penser à l'historique de votre relation amoureuse. Puis écrivez une lettre d'amour à votre partenaire. Pourquoi êtes-vous « tombé » en amour avec votre partenaire ? Qu'est-ce qui fait que vous l'aimez encore ? Qu'appréciez-vous chez lui ou chez elle ? Écrivez-lui quelques fantasmes. Parlez-lui de vos projets d'avenir en tant que couple. Énumérez ce que vous appréciez chez l'autre en tant que parent ou professionnel. Exprimez votre reconnaissance pour tout ce que votre partenaire fait ou a fait pour vous… Vous pouvez ensuite lui remettre en mains propres ou encore la poster en écrivant «confidentiel et ultra-secret» sur la enveloppe que vous aurez pris soin de parfumer, stimulant ainsi sa curiosité.

Je connais un homme qui, devant partir seul pour deux semaines, a écrit des centaines de « Je t'aime » qu'il a collés un peu partout dans la maison, au bureau de sa femme à son insu et même sur les poteaux le long du chemin allant de son bureau à la maison, les deux étant situés à deux rues de distance. Il en a mis à la vue sur les murs, mais il en a aussi caché plusieurs autres : dans différentes casseroles, dans son coffret à bijoux, entre les draps qu'elle allait utiliser la semaine suivante, au sous-sol même si elle y va rarement, dans la laveuse et la sécheuse à linge, dans son livre de chevet, à l'intérieur de petites culottes et soutiens-gorge, à l'intérieur de son disque compact préféré, au plafond de la salle de bain (au-dessus du bain)… Là où elle travaille comme massothérapeute, il en a mis dans des tiroirs de son bureau, à l'intérieur de certains dossiers, sous sa table de massage, entre ses draps de massage, au milieu de ses huiles à massage… Il en a mis tellement partout qu'elle en trouvait encore six mois après son retour. Le tout lui pris a peine une heure, mais cet investissement en temps lui a rapporté plusieurs heures de passion.

Lieux interdits. Vous rappelez-vous l'intense excitation ressentie lorsque, plus jeunes, vous faisiez l'amour sur le siège arrière d'une voiture, avec la crainte continuelle d'être découvert ? Les fruits interdits semblent toujours plus appétissants. Faire l'amour dans des endroits où vous risquez d'être surpris (dans la nature, dans une piscine ou dans la mer[1], sur le toit d'un édifice, dans un parc public…) pourrait augmenter votre excitation.

Livres érotiques. Il existe des livres érotiques abondamment illustrés que vous pouvez vous procurer, dont les classiques *Kama Sutra* de Vatsyayana et *The Joy of Sex* de Alex Comfort. Ces livres présentent généralement des couples dans diverses positions sexuelles Regardez-les ensemble dans votre lit, lisez-les et mettez-les en pratique. Vous en trouverez une liste dans la médiagraphie.

Massage érotique I. Point n'est besoin d'avoir suivi de cours de massage pour exercer cette douce torture. Demandez à votre partenaire de s'étendre nu(e) sur le lit et à l'aide de vos mains, caressez l'ensemble de l'arrière de son corps de différentes façons : flattage, pétrissage, effleurage, légères « graffignes » ou éraflures. Après une vingtaine de minutes, votre partenaire se retourne et vous refaites les mêmes mouvements sur l'avant du corps, particulièrement ceux qui l'ont fait le plus réagir. L'objectif est de provoquer une excitation érotique, mais sans jamais toucher directement les organes génitaux ou les mamelons ; vous les effleurez, vous dirigez le sens de vos caresses vers ceux-ci, vous titillez les zones qui vous semblent les plus érogènes pour votre partenaire[2]... mais vous ne caressez jamais les organes génitaux et les mamelons.

Massage érotique II. Le massage érotique, deuxième session, se déroule exactement de la même façon que le massage érotique I, sauf que cette fois-ci, vous intégrez les organes génitaux et les mamelons mais vous les considérez au même titre que les autres parties du corps : vous ne leur accordez pas plus de temps ni de caresses particulières. L'objectif n'est pas d'amener votre partenaire jusqu'à l'orgasme, mais de lui faire vivre une expérience érotique encore plus intense. De plus, le fait de sentir tout son corps caressé et ainsi nourri amènera probablement votre partenaire à vivre une expérience spéciale au niveau de son schéma corporel[3].

Massage érotique III. Le massage érotique, version finale, se déroule exactement de la même façon que le massage érotique II, sauf qu'à la fin du massage vous revenez aux organes génitaux et leur accordez toute votre attention, jusqu'à l'orgasme si votre partenaire le désire et en ressent le besoin[4]. Nota bene : Les trois versions du massage érotique doivent se faire en trois temps différents pour obtenir les meilleurs résultats.

Massage érotique (variantes). Dans les trois versions du massage érotique, vous pourriez apporter les variantes suivantes :

- utiliser vos mains et vos avant-bras ;
- utiliser vos mains, vos avant-bras et votre bouche ;
- utiliser de l'huile ou une crème à massage, parfumée ou non ;
- réchauffer l'huile en gardant la bouteille dans un contenant d'eau chaude ;
- remplacer l'huile par du savon ou une crème hydratante ;
- enduire votre corps d'huile ou de savon et masser ou laver le corps de votre partenaire avec le vôtre (body massage).

Miroir, dis-moi… L'installation de miroirs sur les murs et/ou le plafond de votre chambre vous permettant de vous voir en pleine action peut avoir sur l'un et/ou l'autre de vous deux un effet érotique assez surprenant. Surtout si, en plus, vous créez une atmosphère romantique à l'aide de chandelles, d'encens et de musique. Plusieurs personnes trouvent très excitant de se voir faire l'amour avec leur partenaire ; d'autres ont l'impression de perdre une partie de leur intimité ou d'être exhibitionnistes ou voyeurs, ce qui leur occasionne une réaction inverse. Comment pouvez-vous connaître votre réaction avant de l'avoir expérimenté ? Avant de faire cet investissement dans votre chambre à coucher, vous pourriez louer une chambre d'hôtel ainsi aménagée ; cherchez, il en existe partout.

Plumasseries. Les plumes sont faites pour le plaisir de la caresse, particulièrement les plumes d'autruche que vous pouvez trouver dans des boutiques spécialisées. Demandez à votre partenaire de s'étendre nu(e) sur le ventre, prenez deux plumes dans chaque main et, en commençant par le haut du dos, inventez différentes façons de le caresser avec celles-ci pendant une quinzaine de minutes ; accordez la même importance à chaque partie de son corps. Prenez cinq minutes de plus pour caresser l'ensemble de son corps, de la tête aux pieds et des pieds à la tête, avec de longs et lents mouvements des plumes. Plus les mouvements sont lents, meilleures sont les sensations. Ensuite, demandez-lui de se retourner et faites la même chose sur le devant de son corps. N'oubliez pas de passer les plumes entre les orteils et de les laisser traîner sur ses organes génitaux. Puis inversez les rôles. (Assurez-vous d'augmenter légèrement la température de votre chambre ou du salon.)

Rendez-vous romantiques. Allez dans un 5 à 7, dans un bar pour célibataires, dans une soirée dansante… chacun de votre côté. Faites semblant de ne pas vous connaître et séduisez-vous l'un l'autre. Lancez-vous des regards brûlants tout en continuant de parler avec les gens de votre groupe. Ne vous retrouvez qu'à la fin du 5 à 7 ou de la soirée pour vous donner rendez-vous dans un motel ou… chez vous.

Romans érotiques. Du Marquis de Sade à Anaïs Nin, il existe des romans érotiques pour tous les goûts. La majorité de ces romans a été écrite par des hommes et illustre l'imaginaire érotique de ceux-ci ; mais de plus en plus de femmes auteures ont décidé d'exprimer à leur tour l'imaginaire érotique des femmes. Les femmes s'y retrouvent davantage et peuvent y puiser une excellente source d'inspiration pour entretenir leurs fantasmes et leur érotisme. Vous en trouverez une liste non exhaustive dans la médiagraphie.

Strip-tease. L'érotisme de l'homme est un érotisme visuel ; à preuve le nombre de revues érotiques, de vidéos érotiques et de clubs de danseuses nues. Alors, mesdames, pourquoi ne pas surprendre votre mari en lui faisant un strip-tease privé, habillée de vos plus beaux vêtements et de votre plus belle lingerie fine. Qui sait, il vous rendra peut-être la pareille. Vous pourriez aussi prendre le temps de déshabiller vous-même votre partenaire en lui enlevant un à un et très lentement chacun de ses vêtements, entrecoupant chaque morceau de baisers et de caresses ardentes.

Téléphone érotique. Appelez votre partenaire au bureau au milieu de l'après-midi et dites-lui que vous êtes en train de fantasmer sur une session d'amour particulièrement intense que vous avez eue dernièrement avec lui. Faites-lui sentir que vous êtes tout excitée à l'idée de le revoir ce soir même et que vous avez de la difficulté à vous contenir à cette idée (appuyez vos dires en gémissant au téléphone). N'oubliez pas de lui exprimer aussi votre amour. Puis raccrochez sans lui donner le temps de réagir.

Une p'tite vite. Avez-vous remarqué que la durée des scènes érotiques de films conventionnels (pas celles des films pornographiques) est d'environ 45 secondes. Mais quelle intensité ! Dans notre société, la « p'tite vite » a mauvaise presse ; elle fait généralement référence à l'homme égoïste qui ne pense qu'à son plaisir. Mais saviez-vous que les femmes peuvent orgasmer aussi rapidement que les hommes : de 30 secondes à deux minutes, si la stimulation est adéquate. Lors de la masturbation, la femme, tout comme l'homme, va focaliser ses caresses sur sa zone génitale et arriver, si elle le désire, très rapidement à l'orgasme.

C'est pourquoi une « p'tite vite », un « quickie » sur l'heure du dîner par exemple, pourrait apporter du piquant dans la vie sexuelle d'un couple. Il n'est pas nécessaire de toujours sortir le grand jeu à chaque fois que vous voulez faire l'amour, ce qui risquerait de devenir exigeant et, à la longue, ennuyant. Certains couples en arrivent même à diminuer leur fréquence sexuelle à cause du temps et de l'énergie demandés pour être «sexuellement corrects». Une «p'tite vite» apportera de la variation dans votre routine sexuelle et entretiendra votre libido, surtout lorsque vous êtes fatigués.

Vous pouvez planifier votre «p'tite vite», mais vous pouvez aussi ajouter l'élément de surprise : dans la chambre servant de garde-robe lors d'un gros party chez des amis ; dans un ascenseur ; sur le siège arrière de votre voiture ; dix minutes avant l'arrivée de vos invités… La peur d'être surpris augmente généralement l'excitation. Il n'est pas absolument nécessaire que chaque «p'tite vite» aboutisse à la pénétration et à l'orgasme ; il peut s'agir tout simplement de caresses osées exprimant votre intense désir de faire l'amour.

Vagin tranquille. Cet exercice est utilisé en thérapie sexuelle pour aider les hommes à mieux gérer leur excitation et la rapidité de leur éjaculation. Il consiste tout simplement, après une demi-heure et plus de caresses réciproques, à demander aux deux partenaires de procéder à la pénétration, puis de ne faire aucun mouvement de bassin et de cesser toute caresse : les deux partenaires restent tranquilles, savourent les sensations ainsi provoquées et s'endorment dans cette position. L'homme apprend ainsi à gérer l'une de ses plus grandes peurs, soit la perte de son érection, et les deux partenaires apprennent qu'ils ne sont pas obligés d'orgasmer à chaque fois qu'ils sont excités.

Yeux ardents. Faites l'amour en vous regardant les yeux dans les yeux, y compris et surtout au moment de l'orgasme.

Vous trouverez d'autres suggestions d'activités érotiques dans les nombreux livres présentés dans la médiagraphie. Voici une recette infaillible d'aphrodisiaque : une grosse pelletée d'amour et un petit brin d'imagination, ce que j'appelle le A.I. Il ne coûte rien et est à la portée de tout le monde.

3

Troisième partie

Surmonter les difficultés

Chapitre 9

L'érection

9.1 Les mécanismes de l'érection

L'érection est un phénomène beaucoup plus complexe qu'il n'y paraît à première vue et fait intervenir plusieurs processus physiologiques et psychologiques. Il ne suffit pas d'avoir une pensée érotique ou de voir votre partenaire nue pour que le processus érectile s'enclenche automatiquement. Plusieurs conditions doivent être réunies pour que l'érection puisse s'effectuer.

1. Votre cerveau doit être exempt de toute lésion ou dysfonctionnement pour qu'il puisse réagir à une stimulation érotique, mentale ou physique; votre cerveau «primitif[1]», là où se trouvent les «centres du plaisir», doit être en parfait état de marche.

De plus, il faut aussi que votre système nerveux soit en parfaite condition si vous voulez que le réflexe érectile puisse apparaître. Toute lésion de votre colonne vertébrale, particulièrement au niveau des vertèbres lombaires, pourrait bloquer ce réflexe lors d'une stimulation physique.

2. Votre corps doit avoir faim. Il ne sert à rien, la plupart du temps, de vous engager dans une activité sexuelle si vous n'en éprouvez pas le besoin ou le désir[2]. Quoique dans le domaine sexuel, tout comme pour la faim, l'appétit vienne souvent en mangeant. C'est votre sexe qui commande votre appétit sexuel, pas votre cerveau, tout comme c'est votre estomac et la sécrétion de sucs gastriques qui gèrent votre faim.

3. Votre système hormonal doit sécréter un minimum de testostérone pour que la pulsion sexuelle puisse se manifester : sans testostérone, point de désir sexuel. À 30 ans, le taux de testostérone dans le sang se situe entre 6,9 et 27,7 nanomolécules par litre de sang. À 60 ans, ce taux peut facilement être réduit de 20 à 50 %. La baisse est graduelle et directement proportionnelle à la baisse de votre désir sexuel. La testostérone est produite par vos testicules qui devraient, eux aussi, être en parfait état de fonctionnement.

4. Votre érection dépend aussi de votre système artériel et veineux afin que suffisamment de sang puisse parvenir à votre pénis. Tout trouble cardiaque, toute hypertension, tout blocage dû à un haut taux de cholestérol et toute autre condition (diabète, artériosclérose…) affectant la circulation sanguine peut diminuer l'apport de sang au pénis rendant ainsi l'érection plus difficile.

5. Évidemment, les structures anatomiques de votre pénis doivent aussi être en bonne condition. Ces structures comprennent : un système de valves contrôlant l'entrée et la sortie du sang ; deux corps caverneux qui, lorsque remplis de sang, provoquent la rigidité de votre pénis ; un corps spongieux qui se termine par le gland ; des terminaisons nerveuses responsables de la sensibilité des différentes parties de vos organes

génitaux. Toute malformation ou toute maladie pouvant affecter la structure anatomique de votre pénis aura évidemment une conséquence négative sur vos érections.

6. Finalement, votre sexualité dépend aussi de votre état de santé général. L'arthrite, l'arthrose et autres maladies débilitantes peuvent contrecarrer le fragile mécanisme de l'érection ; tout comme l'alcoolisme, le tabagisme, la dépression, la majorité des médicaments, une carence alimentaire… peuvent aussi créer une impuissance temporaire ou permanente.

Seul le médecin spécialisé en urologie est en mesure d'évaluer l'état physique de votre santé sexuelle. Il est d'ailleurs fortement recommandé aux hommes de 40 ans de passer un examen urologique tous les deux ans et aux hommes de 50 ans et plus, toutes les années. Ceci à titre préventif, tout comme les femmes passent régulièrement des examens gynécologiques. Dans le cas de dysfonctionnement sexuel, lorsque toute hypothèse cérébrale, nerveuse, hormonale, artérielle ou organique a été exclue par un examen urologique approfondi, on peut alors regarder ce qui se passe du côté psychologique.

9.2 Les craintes des hommes au sujet de l'érection

L'homme ne peut **vouloir** une érection, car l'érection n'est aucunement sous le contrôle de la volonté comme peuvent l'être, par exemple, ses jambes ou ses mains. Il ne peut pas commander une érection tout comme il ne peut pas commander une sécrétion de bile ou de sucs gastriques plus abondante pour accélérer sa digestion. Tout ce que l'homme peut volontairement faire concernant sa sexualité, c'est créer un contexte érotique qui permettra au réflexe érectile de se produire. Ce contexte peut être créé par le fantasme, la masturbation, la vision d'une femme nue ou d'une scène érotique, les caresses d'une femme, l'odeur d'une femme réceptive… Et pour faire le lien entre ce contexte et le réflexe érectile, l'homme doit apprendre à se détendre.

L'érection est un processus paradoxal. Plus l'homme se préoccupe de son érection, plus il «veut» une érection, moins il parviendra à en obtenir une. Alors qu'il lui suffit de se laisser aller à ses fantasmes ou aux caresses de sa partenaire pour que l'érection survienne sans effort. Il lui faut ralentir l'activité consciente pour laisser place à sa vie neurovégétative. Devenir «spectateur» de son activité sexuelle et chercher à la contrôler consciemment et volontairement afin d'être à la hauteur de ses propres attentes ou de celles de sa partenaire[3] (complexe de performance) constituent les deux principales causes psychologiques de l'impuissance masculine. Comment expliquer cela?

Le système nerveux est composé de deux sous-systèmes antagonistes: le système orthosympathique (ou sympathique) et le système parasympathique. Grosso modo, le sympathique contrôle l'accélération des fonctions vitales et le parasympathique gère le ralentissement de ces mêmes fonctions, créant ainsi une sorte d'équilibre dynamique entre l'activité et le repos. Or, la sexualité en tant que fonction neurovégétative relève davantage du parasympathique que du sympathique; ce qui signifie que vous devez vous détendre pour permettre aux réflexes sexuels (érection, excitation, éjaculation, orgasme) de fonctionner. Toute activité mentale (pensée, préoccupation, émotion…) accélère le système nerveux et vient ainsi contrecarrer physiologiquement la réponse sexuelle. Vous ne pouvez commander votre érection (sympathique), mais vous pouvez créer une atmosphère érotique détendue (parasympathique) qui facilitera votre excitation et vos réactions sexuelles.

Psychologiquement parlant, vous devez développer votre capacité à vous laisser aller, à vous détendre afin de laisser les pensées érotiques ou les caresses physiques pénétrer votre corps et y créer une onde de plaisir qui provoquera l'excitation nécessaire à votre érection et votre orgasme. Toute tension mentale, toute pensée obsédante, tout état anxieux empêchera cette détente et bloquera vos réflexes. Cela peut paraître et est paradoxal, mais la recherche active (système sympathique) du plaisir sexuel rend celui-ci difficile à obtenir puisqu'il est sous le contrôle du système parasympathique.

Beaucoup d'hommes véhiculent de fausses croyances concernant la « puissance » masculine. Plusieurs croient qu'un homme « viril » peut avoir des érections à volonté, sans l'aide de personne, que celles-ci doivent toujours être pleines et fermes et qu'il peut, sur demande, faire l'amour lorsque sa partenaire en manifeste le désir. La réalité ne correspond malheureusement pas à ces croyances, particulièrement passé l'âge de 40 ans.

J'ai eu l'occasion de rencontrer, en thérapie sexuelle, beaucoup d'hommes aux prises avec un problème d'impuissance qui exprimaient de telles croyances et qui ne se rendaient pas compte que celles-ci étaient à l'origine de leurs difficultés. Les hommes de 40, 50, 60 ou 70 ans se créent souvent des problèmes là où il n'y en a pas en entretenant de fausses croyances, lesquelles suscitent de fausses craintes ou de fausses peurs au sujet de leur sexualité.

Crainte # 1. « Je n'aurai plus jamais d'érection. »

Réalité : Passé 40 ans, tôt ou tard, vous vivrez une situation où vous ne pourrez obtenir d'érection malgré votre désir et la réceptivité de votre partenaire. Cet « échec » ne signifie nullement que vous n'aurez plus jamais d'érection mais plutôt que la spontanéité de vos érections commence à décliner, ce qui est tout à fait normal. L'absence d'érection se produit souvent lorsque vous êtes fatigué, préoccupé ou lors de premiers contacts sexuels avec une nouvelle partenaire (ce que j'appelle une impuissance temporaire d'adaptation). Si vous attendez d'être en érection pour faire l'amour, votre fréquence sexuelle risque de chuter. Par contre, si vous vous laissez aller aux plaisirs sensuels et si vous laissez plus d'initiative à votre partenaire, il est fort probable que votre érection se manifestera tôt ou tard. Sinon, vous recommencerez le lendemain matin, ou le lendemain soir, ou un autre jour.

Crainte # 2. « Mes érections ne sont plus aussi dures qu'avant. »

Réalité : Elles ne le seront probablement jamais plus autant qu'à 25 ans. Et puis après ? Vos érections seront quand même suffisamment dures pour permettre la pénétration et vous procurer du plaisir, à vous et à votre partenaire. Votre plaisir sexuel et celui de votre partenaire ne sont absolument pas directement proportionnels à la dureté de vos érections.

Crainte # 3. « Je ne peux plus maintenir mes érections. »

Réalité : Comme dit dans le chapitre premier, beaucoup d'hommes ont une conception linéaire de la relation sexuelle, que celle-ci dure cinq minutes ou une heure : désir-érection-pénétration-orgasme. Pourquoi devrait-il toujours en être ainsi ? Il est tout à fait normal que votre érection puisse varier en intensité, surtout si vous faites durer vos relations sexuelles. C'est même une excellente façon de prolonger vos rapports sexuels. Profitez-en, au lieu de paniquer, pour changer de position, vous laisser aller davantage et demander à votre partenaire de vous caresser autrement. Et si votre érection disparaît et ne veut pas revenir, profitez-en pour… dormir.

Crainte # 4. « Il m'arrive parfois de ne pas pouvoir orgasmer. »

Réalité : La très grande majorité des hommes de plus de 40 ans aura, un jour ou l'autre, des relations où, malgré leur désir et leurs efforts, ils ne parviendront pas à orgasmer. Cela peut s'expliquer tout simplement parce que leur corps n'en éprouve pas le besoin à ce moment précis, parce qu'il a vécu récemment un orgasme, parce qu'il n'a plus suffisamment d'énergie ou parce qu'il est trop stressé. Là aussi, profitez-en pour vous endormir ou vous préoccuper davantage de votre partenaire, si elle le désire. L'absence d'orgasme ou d'éjaculation ne constitue pas en soi un problème, à moins que vous décidiez de vous en créer un. Cette « incapacité » temporaire et circonstancielle d'orgasmer pourrait compenser les fois où, dans votre jeune temps, vous orgasmiez trop rapidement, souvent au détriment de votre partenaire. Aujourd'hui, elle pourrait trouver un grand plaisir dans votre capacité à être excité beaucoup plus longtemps sans éjaculer. Ce que vous pourriez trouver problématique pourrait, au contraire, se transformer à votre avantage à la condition d'accepter la situation.

Crainte # 5. « Je ne suis plus toujours aussi prêt qu'avant. »

Réalité : Et puis après ! Pourquoi ne développeriez-vous pas le plaisir de pouvoir dire non, de temps en temps, à votre partenaire, tout comme elle a certainement dû le faire par le passé ? Toujours être prêt, comme chez les scouts, est un des principaux mythes que les hommes entretiennent sur leur sexualité. Exigez-vous la même chose de votre partenaire ? Non ! Alors, pourquoi vous torturer ? Comprendre et accepter que, parfois, faire l'amour ne vous tente pas, que vous aussi avez besoin de vous sentir en forme et détendu, qu'un climat émotif et érotique devient de plus en plus nécessaire au fur et à mesure que vous vieillissez… pourraient certainement vous aider à pouvoir jouir plus longtemps de votre sexualité même si la fréquence de vos rapports diminue.

Crainte # 6. « Ma partenaire ne m'aimera plus si je ne peux pas la satisfaire. »

Réalité : Cessez de croire que l'amour et le plaisir de votre partenaire sont directement reliés à votre virilité et à votre performance. Le principal reproche des femmes envers les hommes que j'ai entendu dans ma carrière de psychologue concerne plutôt l'absence de communication verbale émotive et non pas l'absence de performance sexuelle[4]. Vous voulez que votre femme continue de vous aimer ? Parlez-lui de vos sentiments pour elle ; osez lui communiquer les pensées et préoccupations que vous entretenez au sujet de votre sexualité ; avouez-lui la crainte qu'elle ne vous aime plus suite à la baisse de votre performance… Non seulement vous vérifierez que vos craintes ne sont pas fondées, mais cette ouverture de votre part diminuera probablement votre tension et, de façon paradoxale, augmentera votre performance. L'objectif n'est plus de donner une performance, mais tout simplement d'être bien et d'entretenir avec votre partenaire une relation à la fois verbale et non verbale.

Crainte # 7 : « Du jour au lendemain, ma fréquence sexuelle est passée de deux à trois fois par semaine à une fois par dix jours. »

Réalité : Rien d'exceptionnel à cela. Avez-vous remarqué que votre myopie ou votre presbytie avait aussi évolué de cette façon, avec des baisses en escalier ? De toute façon, est-ce la quantité de vos rapports sexuels ou leur qualité qui vous importe le plus ?

Beaucoup trop d'hommes limitent leur virilité à leurs performances sexuelles et se créent ainsi des casse-tête inutiles, pour eux-mêmes et leurs partenaires. Vous pouvez très bien réussir professionnellement ou socialement et être très peu porté sur le sexe ou, au contraire, être un excellent amant même si vous êtes au chômage. Votre épanouissement sexuel dépend non seulement de vos performances sexuelles mais aussi des croyances et des illusions que vous entretenez au sujet de ces mêmes performances. J'ai connu des clients qui se croyaient des minables sexuels alors que leurs performances sexuelles étaient en plein dans la moyenne et même au-dessus de ce que font généralement les hommes. Mais ils avaient entendu dire qu'un « vrai » homme pouvait faire encore plus. C'est leur perception, basée sur leur ignorance de la sexualité masculine, qui les rendait malheureux et non pas leur comportement.

Voici une recette infaillible pour devenir impuissant :

1. Soyez ignorant de tous les aspects naturels de la sexualité masculine.

2. Imaginez que la sexualité de votre partenaire fonctionne comme la vôtre.

3. Entretenez toutes les craintes mentionnées dans ce chapitre.

4. Essayez de donner une performance, d'être à la hauteur et sans reproche.

5. Soyez le spectateur de vos performances sexuelles.

6. Ne faites aucun exercice physique.

7. Diminuez votre activité sexuelle.

8. Ayez une alimentation riche en graisses.

9. Prenez de l'alcool, des drogues et des médicaments.

Avec de telles pensées et de tels comportements, vous deviendrez rapidement impuissant et n'aurez plus aucun réel plaisir sensuel et sexuel.

Chapitre
10

La sexualité et votre santé après 40 ans

Malheureusement, vieillir ne va pas sans de nombreuses difficultés ou maladies physiques qui peuvent affecter notre vie sexuelle. Rares sont les personnes qui auront la chance de mourir en parfaite santé. Quoique plusieurs maladies puissent handicaper l'exercice de la sexualité, la majorité de celles-ci ne met toutefois pas un terme à la vie sexuelle. Au contraire, certaines de ces maladies peuvent bénéficier de la poursuite de l'activité sexuelle. Non seulement parce que l'activité sexuelle est synonyme de plaisir et de plaisir de vivre, mais aussi parce qu'elle a des effets thérapeutiques indéniables.

10.1 Sexualité, arthrite et rhumatisme

L'arthrite et le rhumatisme se manifestent par des douleurs aiguës ou chroniques dans les articulations, les muscles et autres tissus ; ces douleurs sont d'origine inflammatoire ou dégénérative. Ils déforment les mains et les pieds et peuvent se développer en coxalgie (douleur ou maladie de la hanche), limitant ainsi les mouvements du bassin. L'arthrite freine toutes les activités physiques, y compris l'activité sexuelle. Certains mouvements sexuels deviennent douloureux ; vous développez une crainte de la douleur qui vous fait appréhender l'activité sexuelle ; vous en souffrez aussi parce que vous vous sentez diminué dans votre image corporelle et limité dans vos initiatives sexuelles. Votre partenaire peut aussi limiter ses approches sexuelles de peur de vous faire souffrir ; il se sent à la fois coupable de son désir et rejeté.

Toutefois, vous vous devez de rester actif sexuellement. En adaptant votre façon de faire l'amour, en recherchant la position la plus confortable (la moins douloureuse), en évitant les caresses et les mouvements qui peuvent vous faire mal, vous remarquerez que vos douleurs arthritiques diminueront ou disparaîtront complètement jusqu'à six heures après l'orgasme à cause de l'effet analgésique des endorphines produites lors de l'excitation sexuelle. Restez ouvert à la sexualité et parlez-en à votre partenaire.

Ce qui est vrai pour l'arthrite l'est aussi pour d'autres situations de douleur chronique comme les maux de dos, les migraines ou l'inflammation permanente du vagin. Même si la douleur est toujours présente, il y a des jours où elle est moins handicapante et où vous pourriez en profiter en le faisant savoir à votre partenaire. Rappelez-vous aussi que faire l'amour n'implique pas nécessairement la pénétration : permettez-lui de vous caresser et de vous masturber ou de se masturber à côté de vous tout en le caressant. Et surtout, n'oubliez jamais que l'être humain a besoin d'être touché, que le contact physique est nécessaire à son bien-être physique, mental et émotif (là aussi à cause de la sécrétion d'endorphines).

10.2 Les dyspareunies

Dyspareunie signifie coït douloureux. Les femmes en souffrent beaucoup plus fréquemment que les hommes. Elle peut être superficielle, i.e. que la douleur est surtout localisée à l'entrée du vagin, ou profonde, i.e. localisée au fond du vagin, au niveau de l'utérus et même au niveau des trompes de Fallope. La peur de la douleur peut être tellement forte qu'elle crée un spasme involontaire du muscle pubococcygien et se développe en vaginisme, rendant ainsi le coït impossible. La plupart du temps, les causes sont d'ordre physique, quoique la peur de la douleur ou le ressentiment envers le partenaire désireux de relations sexuelles puisse venir complexifier la situation et créer un cercle vicieux : la peur de la douleur crée un spasme douloureux qui rend douloureux le coït qui augmente la peur qui…

Les infections, causes des vaginites, peuvent facilement être traitées par des antibiotiques. L'absence ou la faiblesse de lubrification peut être compensée par l'utilisation d'un lubrifiant ou, chez la femme ménopausée, par une thérapie hormonale aux oestrogènes. L'endométriose, les kystes, les déformations vaginales, les tumeurs, les blessures… doivent être opérés. Les réactions allergiques peuvent être traitées. Par contre, si des facteurs psychologiques sont en cause (absence d'excitation, absence de préparation, anxiété, peur de la douleur, dépression…), vous devez alors faire appel à un psychothérapeute sexuel.

Les dyspareunies masculines peuvent avoir de nombreuses causes : irritation de la peau, infection ou inflammation du pénis, réaction allergique, infection de la prostate ou des vésicules séminales, hernie, maladie de la Peyronie[1], blessures au pénis, effets secondaires de médicaments (injection de prostaglandines ou de papavérine)… Les causes peuvent parfois être d'ordre psychologique, mais plus rarement, et se limitent à la peur d'avoir mal. Dans tous les cas où la relation coïtale devient douloureuse, ce qui est tout à fait anormal, l'homme devrait consulter un urologue ouvert à la sexualité au plus tôt. Contrairement aux préjugés masculins, c'est un signe de courage et non de faiblesse que de parler de ses problèmes sexuels. Plusieurs des causes de dyspareunie peuvent évoluer dangereusement si non traitées à temps ? Pourquoi souffrir en silence alors que les traitements existent.

10.3 Sexualité et troubles cardiaques

Même un léger trouble cardiaque peut avoir un effet traumatisant sur votre vie sexuelle. Ce qui est très compréhensible. Ce problème affecte plus d'hommes que de femmes. D'après Saul H. Rosenthal[2], 25 % des hommes ayant eu une crise cardiaque abandonnent toute vie sexuelle ; 50 % diminuent la fréquence de leurs rapports sexuels et à peine 25 % ne changent rien dans leurs habitudes sexuelles. Pourtant, d'après lui, 80 % de ces hommes pourraient reprendre leur vie sexuelle antérieure sans risques sérieux. Les 20 % restants doivent simplement tenir compte de leur endurance physique. Seulement 0.5 % des cardiaques sont morts en faisant l'amour ; la plupart des autres sont morts durant leur sommeil. Il n'y a pas de quoi s'affoler. Selon une recherche, les cardiaques qui sont morts en faisant l'amour étaient avec une autre femme que la leur et avaient bu beaucoup d'alcool, deux éléments stressants qui sont probablement les vrais responsables de la crise fatale plutôt que l'acte sexuel lui-même.

Tous les cardiaques devraient continuer leur vie sexuelle pour garder leur confiance en eux, se sentir vivants, s'épanouir et avoir du plaisir. Faire l'amour dans des conditions optimales n'est pas plus exigeant physiquement que de monter deux étages à pied. N'oubliez pas que l'intimité, la chaleur, la détente physique vécues lors de vos relations sexuelles constituent un excellent anxiolytique[3]. Alors, cardiaque ou non, si la sexualité vous tient à coeur, allez-y tout en vous rappelant que vous n'êtes pas obligé d'orgasmer à tout coup ou de faire des acrobaties ; vous pouvez aussi déléguer une bonne partie du « travail » à votre partenaire. L'horrible peur de mourir en faisant l'amour n'est... qu'une horrible peur.

Toutefois, si vous avez déjà eu une attaque cardiaque ou une opération à coeur ouvert, vous devriez consulter régulièrement votre médecin (assurez-vous qu'il est à l'aise et au courant de la dimension sexuelle de votre état), connaître votre niveau de tolérance à l'effort, vous tenir en forme physique et surveiller votre alimentation. Les mêmes conseils s'appliquent aux femmes cardiaques. Par contre, si vous souffrez d'angine de poitrine, votre médecin vous conseillera probablement une médication limitant l'augmentation de votre rythme cardiaque lors de vos relations sexuelles.

10.4 Sexualité et haute pression

L'hypertension est un mal généralisé dans ce siècle de la vitesse. C'est une maladie insidieuse car ses effets ne se manifestent qu'à long et parfois même qu'à très long terme. La personne ne se sent pas malade durant les premier stades de son évolution ; c'est, par exemple, lors de problèmes cardiaques que la personne prendra conscience qu'elle souffre d'hypertension. Le meilleur remède contre l'hypertension est évidemment de perdre du poids, de couper le sel et de faire de l'exercice.

La majorité des différents médicaments prescrits pour contrôler l'hypertension a des effets secondaires très négatifs sur la sexualité : les premiers causent l'impuissance, d'autres provoquent des problèmes d'éjaculation et les derniers éteignent la libido ; certains ont des effets secondaires doubles. Chez la femme, ces mêmes médicaments amènent la perte de libido et la difficulté à orgasmer. Heureusement, ces effets ne sont pas systématiques chez tous ceux et celles qui en prennent ; les mêmes médicaments peuvent avoir d'énormes effets secondaires chez une personne et très peu chez une autre, sans trop que l'on sache pourquoi. Si vous devez prendre ce type de médicaments, vous devriez parler de leurs effets sur votre vie sexuelle à votre médecin de façon à ce qu'il puisse vous trouver un médicament efficace pour contrôler votre tension mais non dommageable pour votre sexualité. Ces effets sont toutefois réversibles et disparaissent si vous arrêtez de prendre ces médicaments.

10.5 Diabète et sexualité

Concernant le diabète, la mauvaise nouvelle est que 50 % des hommes diabétiques développeront des difficultés érectiles et que 33 % des femmes diabétiques auront des difficultés de lubrification, rendant dans les deux cas la pénétration difficile, impossible ou douloureuse. La bonne nouvelle est que ces difficultés disparaissent rapidement en contrôlant le niveau de sucre dans le sang, sauf pour un très faible pourcentage d'hommes et de femmes. Et lorsque les effets secondaires perdurent, ils sont davantage la résultante de la médication ou des changements comportementaux dus au diabète qu'au diabète lui-même.

Le diabète est source directe d'impuissance lorsqu'il endommage les nerfs génitaux périphériques, lorsqu'il crée des problèmes vasculaires ou détruit les tissus péniens responsables de l'érection. Le diabète peut aussi détruire les nerfs clitoridiens, même s'il n'affecte pas la capacité orgasmique, et rend la femme beaucoup plus sujette aux infections vaginales. D'où la nécessité d'un dépistage précoce et d'un suivi par un spécialiste.

10.6 Sexualité et médication

Plus on vieillit, plus on est susceptible de prendre des médicaments et plus notre sexualité devient fragile. La majorité des médicaments prescrits a des effets secondaires négatifs sur la sexualité.

Les antidépresseurs provoquent la perte du désir sexuel chez l'homme et la femme et l'impuissance chez l'homme. Toutefois, il est difficile de savoir si ces difficultés sont dues à la dépression elle-même ou à la médication ; elles sont probablement le résultats d'effets combinés.

Les antihistaminiques assèchent votre nez, mais assèchent aussi votre vagin et peuvent causer l'impuissance. Heureusement, une fois votre grippe, rhume, allergie ou problème de sinus guéris, les effets secondaires disparaissent.

Les médicaments pour traiter les ulcères d'estomac bloquent la production d'androgènes chez l'homme, particulièrement les Tagamet. Si tel est le cas, demandez à votre médecin de vous prescrire des Zantac qui, eux, n'ont pas d'effets antiandrogènes.

La plupart des tranquillisants contrôlent les maladies mentales et les problèmes d'angoisse et d'anxiété. Ils diminuent, par contre, votre libido et peuvent être la source de problèmes d'érection et d'éjaculation ; ils bloquent l'orgasme chez la femme. On sait, par exemple, que le valium et le librium, les deux tranquillisants les plus connus, causent la perte du désir sexuel s'ils sont pris à forte dose.

L'idéal est évidemment de se garder en santé pour ne pas avoir besoin de médication. Mais si vous devez en prendre, ne paniquez pas et ne croyez pas que vous allez avoir nécessairement des problèmes sexuels. On ne sait pas trop pourquoi, mais tous ces médicaments agissent différemment selon les personnes. Si vous n'avez pas d'effets secondaires négatifs, tant mieux; si oui, parlez-en à votre médecin urologue ou gynécologue.

10.7 Alcool et sexualité

Serait-il possible que cette source de plaisir largement répandue puisse avoir des répercussions négatives sur la sexualité de l'homme et de la femme de 40 ans et plus? Non seulement c'est possible, mais les dernières recherches apportent de très mauvaises nouvelles.

Vous savez déjà qu'un peu d'alcool (un ou deux verres) vous fait perdre vos inhibitions et peut ainsi agir comme stimulant sexuel; je vous ai même conseillé d'ouvrir une bouteille de vin ou de champagne pour créer une atmosphère romantique et érotique. Mais voici ce qui risque de vous arriver si vous débouchez une bouteille ou deux tous les jours pendant une période de cinq à huit ans pour les hommes et de trois à cinq ans pour les femmes: 80% des hommes alcooliques perdent tout intérêt sexuel et deviennent impuissants et stériles; 60% des femmes alcooliques ne sont plus excitées sexuellement et ont de la difficulté à orgasmer.

L'alcool a un effet négatif sur la sexualité en accélérant la baisse de production de testostérone et ce, de différentes façons:

1. À long terme, l'alcool détruit les cellules de vos testicules et vous laisse avec des testicules atrophiés.

2. L'alcool augmente le métabolisme de votre testostérone, créant ainsi un déséquilibre hormonal: diminution de vos hormones

mâles et augmentation de vos hormones femelles, avec toutes les conséquences qui en découlent.

3. L'alcool fait en sorte qu'une partie de la testostérone disponible n'est plus utilisable.

4. L'alcool affecte la glande pituitaire, située à la base du cerveau, laquelle stimule la production de testostérone et de spermatozoïdes.

Chez la femme, l'alcool s'attaque aux ovaires et les atrophie, diminuant là aussi la production hormonale. L'alcool provoque des problèmes menstruels et affecte l'ovulation qui peut même disparaître. De plus, l'alcool cause l'atrophie des seins, de l'utérus et des parois vaginales.

En outre, vous savez déjà que l'alcool détruit le foie et les cellules du cerveau avec toutes les conséquences que cela peut avoir. De plus, il constitue un dépresseur du système nerveux central, ce qui signifie qu'un peu d'alcool vous enlève vos inhibitions mais, à haute dose, détruit votre système nerveux et vos réflexes et vous déprime. Le slogan qui dit que «La modération a bien meilleur goût» est particulièrement vrai pour votre sexualité car certains des effets de l'alcool sont irréversibles, même si vous arrêtez complètement de boire.

10.8 Tabac et sexualité

D'après une recherche d'une équipe d'urologues du Queen's University de Kingston, Ontario, 80 % des hommes impuissants sont des fumeurs. Le tabac nuit à l'érection à cause de l'effet vasoconstricteur de la nicotine sur les vaisseaux sanguins, empêchant ainsi le sang d'affluer au pénis. Seulement un tiers des hommes qui ont complètement arrêté de fumer ont récupéré leur capacité érectile, sans autre traitement. On sait actuellement peu de choses de l'influence du tabac sur la sexualité féminine. Le tabac diminue la quantité de spermatozoïdes et augmente la probabilité de bébés prématurés ; il multiplie par dix les risques d'attaques cardiaques chez la femme qui prend la pilule. De plus, il augmente le risque de cancer du col de l'utérus ainsi que celui du pénis.

Le durcissement des artères, ou artériosclérose, s'accentue avec l'âge. Si, en plus, vous fumez et que vous êtes un gros fumeur, vous hypothéquez très sérieusement votre sexualité. Nous savons que le tabac est une drogue très puissante ; beaucoup d'hommes et de femmes ne peuvent se résigner à cesser de fumer même devant la certitude que cette habitude provoque l'impuissance et la mort.

10.9 Drogues et sexualité

Certaines drogues, dites sociales, font maintenant partie de la vie moderne. Plusieurs personnes en prennent à l'occasion sans développer de dépendance ; d'autres restent accrochées dès la première fois. Là aussi, tout comme pour l'alcool et le tabac, le danger sur la sexualité croît à l'usage et avec l'âge. Voici l'état des recherches sur les drogues les plus courantes.

Contrairement à la croyance populaire, la **marijuana** ne constitue pas un aphrodisiaque ; tout au plus, elle augmente la perception de vos sensations et des sentiments que vous éprouvez pour votre partenaire. À faible dose, elle ne semble pas avoir d'effet négatif sur vos réactions sexuelles. Par contre, si vous êtes un fumeur quotidien ou à haute dose, elle risque de supprimer la production de testostérone et de spermatozoïdes ainsi que l'ovulation. Elle peut alors causer la perte de votre appétit sexuel, de votre capacité d'éjaculation et vous rendre impuissant ; elle peut causer la perte du désir sexuel et de la capacité orgasmique chez la femme.

La **cocaïne** réduit les inhibitions et semble accroître la libido chez les deux sexes ; elle augmente les sensations tactiles et prolonge la relation sexuelle en retardant l'éjaculation. Mais, à long terme, les effets sont désastreux : elle empêche tout d'abord les hommes d'éjaculer et les femmes d'orgasmer ; puis, elle contrecarre l'érection de l'homme et l'excitation chez la femme ; finalement, vous perdez tout intérêt à la sexualité. À vous de choisir !

Quoique moins bien documentés, les **amphétamines** ou « **speed** » semblent avoir sur la sexualité les mêmes effets que la cocaïne.

L'influence des **opiacés** et des **narcotiques** sur la sexualité ne fait aucun doute : 100 % des usagers deviennent impuissants ou perdent la capacité d'orgasmer parce qu'ils affaiblissent la glande pituitaire responsable de la sécrétion des hormones sexuelles. Les femmes cessent d'ovuler et d'être menstruées. Voulez-vous prendre le risque ?

10.10 Les problèmes de prostate

La prostate est un organe situé entre votre vessie et la base de votre pénis. Elle produit des enzymes et le liquide prostatique composant la majeure partie de votre éjaculat. Les problèmes de prostate les plus souvent rencontrés, après 50 et 60 ans, sont l'hypertrophie ou développement excessif de la prostate, les infections de la prostate ou prostatites, la congestion de la prostate et le cancer. Chacun de ces symptômes n'affecte pas la sexualité de la même façon, les uns passent inaperçus et les autres peuvent devenir un véritable enfer.

Pour des raisons inconnues, la prostate commence à prendre de l'ampleur vers l'âge de 50 ans, ce qu'on appelle l'**hypertrophie** de la prostate ; cette dernière peut multiplier son volume par dix ou vingt. Ce phénomène est généralement sans danger à moins qu'elle ne bloque votre urètre et rende ainsi difficile ou douloureuse votre miction ; une intervention chirurgicale devient alors nécessaire. Autrement, son influence sur la sexualité se limite à l'affaiblissement de votre force éjaculatoire ; les autres symptômes ont rapport avec la miction : plus fréquente, plus faible, plus hésitante, plus urgente, moins complète et une fréquence nocturne de plus en plus élevée.

Les **prostatites** sont fréquentes et peuvent survenir à tout âge. Elles sont généralement provoquées par des bactéries et difficiles à soigner, d'où la nécessité de consulter dans les meilleurs délais. Les principaux symptômes sont : difficulté d'uriner, brûlures lors de la miction, mictions fréquentes, démangeaisons internes et mal au bas du dos. Le seul symptôme sexuel est l'éjaculation douloureuse. Les prostatites deviennent rapidement chroniques. On ne peut qu'en soulager les symptômes par la prise de bains chauds et par le massage de la prostate (voir chapitre 5).

Plusieurs raisons expliquent la **congestion prostatique** qui se manifeste par une accumulation excessive de liquide dans la prostate, sans origine infectieuse : stimulation sexuelle sans aucune éjaculation, vibration constante, difficulté d'irrigation… Il n'existe que deux moyens thérapeutiques : éjaculation et massage de la prostate.

Aujourd'hui, les hommes vivent assez vieux pour développer le **cancer** de la prostate. Quoiqu'il puisse parfois se présenter sous forme d'une tumeur maligne, le cancer de la prostate évolue généralement très lentement. Diagnostiqué rapidement, il peut facilement être traité et même guéri. Les premiers stades du cancer étant asymptomatiques, les hommes ne consultent souvent que lorsque le cancer n'est plus opérable. S'il apparaît après 70 ou 80 ans, âge auquel il est très fréquent, les conséquences du traitement sont telles qu'il est préférable de le laisser évoluer, l'homme mourant d'une autre cause avant que le cancer ne soit rendu à un stade avancé. C'est pourquoi l'on dit que l'homme meurt avec le cancer plutôt que du cancer.

Quoique devenu le plus fréquent des cancers chez l'homme, celui-ci n'est responsable que de 14 % du taux de mortalité par cancer. Le cancer de la prostate peut maintenant être diagnostiqué par un simple test sanguin appelé APS (antigène prostatite spécifique) ou PSA (prostate-specific antigen). Ce diagnotic précoce a fait passer le taux de guérison de 30 %, il y a vingt ans, à 70 %, même après cinq ans.

Les interventions chirurgicales permettant le traitement des différentes maladies de la prostate n'affectent pas le fonctionnement sexuel ; la seule conséquence possible est l'éjaculation rétrograde, i.e. que le sperme est éjaculé dans la vessie au lieu d'être expulsé à l'extérieur du corps. L'éjaculation rétrograde n'influence en rien votre expérience orgasmique. Par contre, s'il faut enlever une bonne partie ou la totalité de la prostate, ce qu'on appelle la prostatectomie, l'homme devient impuissant dans 100 % des cas si les nerfs « honteux » ont été sectionnés. Pour ralentir l'évolution de la tumeur cancéreuse, on peut aussi diminuer la production de testostérone ; cela peut être fait par injection d'hormones femelles ou par radiothérapie, mais environ 50 % des hommes deviennent alors impuissants. La castration devient aussi parfois nécessaire pour arrêter la production de testostérone. Heureusement, les nouvelles techniques chirurgicales devraient permettre d'éviter cette complication.

C'est pour toutes ces raisons, selon certains spécialistes, que les hommes de 40 ans devraient passer, à titre préventif, un examen urologique aux deux ans et tous les hommes âgés de 50 ans et plus, toutes les années. Toutefois, les avis sont partagés devant le dépistage de masse et certains autres spécialistes suggèrent de ne consulter que si des symptômes[4] sont présents ou si vous êtes vraiment inquiets. Selon ces derniers, le dépistage de masse est inutile et pourrait devenir dangereux en forçant un traitement inutile et coûteux, car même si à 50 ans de 10 à 30 % des hommes possèdent des cellules cancéreuses dans leur prostate, il semble qu'un seul sur trois développera un réel cancer et qu'au total un homme seulement sur 40 en mourra… dix ans plus tard[5]. Leur principal argument est que ces hommes mourront probablement même après traitement et que le traitement aura gâché leurs dernières années de vie. Pour la majorité des autres, la tumeur cancérigène restera à un niveau microscopique ou évoluera très lentement.

Une recherche faite par l'urologue britannique Anjan K. Banerjee du Manchester Royal Infirmery auprès de 423 hommes âgés de 60 à 80 ans a démontré que, sans trop savoir pourquoi, les hommes qui continuaient à avoir une vie sexuelle active et qui éjaculaient le plus souvent étaient ceux qui avaient le moins de risques de développer le cancer de la prostate. À vous de décider : prévention ou traitement ?

10.11 Hystérectomie et sexualité

L'hystérectomie, ou ablation de l'utérus, est nécessaire pour plusieurs raisons chez les femmes non ménopausées : pertes sanguines irrégulières ou menstruations prolongées, endométriose[6], myome de l'utérus, inflammation pelvienne. Chez les femmes ménopausées les pertes sanguines et le cancer en sont les principales causes. Finalement, le prolapsus, ou descente de l'utérus qui peut survenir à tout âge, constitue une dernière raison. S'il faut aussi faire l'ablation des ovaires, appelée oophorectomie, cela provoquera une « ménopause chirurgicale ». Environ 50 % des femmes de 65 ans ont subi l'hystérectomie, ce qui en fait l'intervention opératoire la plus fréquente en Amérique du Nord.

Avant de lire ce qui suit, rappelez-vous que l'hystérectomie et l'oophorectomie vous enlèvent vos organes reproducteurs (utérus et ovaires) et non pas vos organes sexuels et qu'elles n'affectent pas ces derniers : vagin, lèvres internes et externes, clitoris. Ce qui fait que beaucoup de réactions féminines à ces opérations ont probablement une composante psychologique importante à ne pas sous-estimer.

L'hystérectomie ne vous fera rien perdre de votre féminité ou de votre désirabilité ; vous ne serez pas « vide » à l'intérieur ; cela n'affectera pas le désir de faire l'amour de votre partenaire et vous pourrez continuer à le satisfaire ; vous ne prendrez pas nécessairement de poids ; votre désir sexuel ne sera pas affecté, ni votre capacité orgasmique ; il y aura, certes, une période normale de récupération d'environ deux mois avant de reprendre vos activités sexuelles, mais l'hystérectomie n'entraîne pas la dépression ; vous n'aurez pas de réactions émotives intenses, du moins pas plus que celles reliées à n'importe quelle chirurgie importante… Toutes ces craintes ne sont pas fondées. Les études démontrent que 75 % des femmes ne rapportent aucune modification de leur vie sexuelle, environ 20 % rapportent même une amélioration de leur sexualité (surtout celles dont les relations étaient devenues désagréables) et seulement 5 % rapportent une détérioration de leur sexualité. Et pour ces dernières, on constate que c'est leur attitude mentale préopératoire et leurs croyances face à la fonction reproductrice de la femme qui sont responsables des effets postopératoires sur leur sexualité.

Par contre, l'oophorectomie pourra avoir certaines conséquences à cause de l'arrêt de production des oestrogènes, de la progestérone et de la testostérone. Les principales sont la sécheresse vaginale et la diminution ou pcrtc dc votre libido. La sécheresse vaginale peut n'être que temporaire et due à votre anxiété devant les premières relations sexuelles postopératoires; si elle perdure, parlez-en à votre gynécologue qui vous prescrira probablement un surplus d'oestrogènes, lesquels aideront aussi à conserver l'élasticité de vos parois vaginales. Quant à votre libido, vous la recouvrerez à 100 % si votre gynécologue ajoute des suppléments de testostérone dans votre hormonothérapie. Si vous étiez parmi les rares femmes qui ont l'habitude d'orgasmer par la stimulation profonde du vagin et du col de l'utérus, vous devrez réapprendre à orgasmer par la stimulation du clitoris ou du point G, ce qui n'est pas, en soi, vous l'admettrez, une triste affaire.

10.12 Le cancer du sein

L'importance de la mammographie et de l'auto-examen des seins ne sera jamais assez soulignée pour les femmes âgées de 40 ans et encore plus pour les femmes de 50 ans et plus. D'après l'Institut Kinsey, une mammographie annuelle permet de réduire de 30 % le taux de mortalité chez les femmes de plus de 50 ans. Comme les seins sont, dans notre société, fortement reliés à la féminité et au sex-appeal, la mastectomie (ablation d'un sein) provoque des effets psychologiques dévastateurs dont le principal est que la femme ne se sent plus désirable et se voit même repoussante. Théoriquement, toutefois, la perte d'un ou des deux seins n'empêche aucunement l'activité sexuelle génitale et orgasmique. Heureusement, avec les traitements de la science médicale moderne il est maintenant de plus en plus rare d'être obligé de recourir à la mastectomie.

10.13 Sexualité et fatigue

Faire l'amour demande de l'énergie. Comment voulez-vous réagir sexuellement après le bulletin de nouvelles de 23 heures, une journée de travail de 8 ou 9 heures, les 2 ou 3 heures supplémentaires à faire faire les devoirs de vos enfants et les multiples tâches ménagères ? Il est tout à fait compréhensible qu'après des mois ou des années de ce régime, vous tombiez de fatigue et perdiez votre libido. Ce qui précède est particulièrement vrai pour les femmes travaillant à l'extérieur de la maison. À ces couples qui viennent me consulter ou à ces femmes dont la libido est à zéro, il m'arrive souvent de leur suggérer d'investir plutôt l'argent de la thérapie dans deux semaines de réelles vacances dans un centre de santé ou dans un endroit le plus tranquille possible afin de leur permettre de récupérer leurs forces… et leur sexualité.

D'après nos statistiques, 20 % de la population souffre de fatigue ; pourtant, il me semblait que nous vivions dans une société de loisirs. La fatigue influence négativement votre sexualité de deux façons : premièrement, elle inhibe votre désir sexuel et fait en sorte que vous perdiez tout intérêt à la chose ; deuxièmement, elle interfère avec votre capacité d'être excité sexuellement même lorsque le désir se manifeste. Si ce portrait vous ressemble, vous devriez peut-être planifier des rendez-vous sexuels avec votre partenaire (oui, oui, mettre l'amour à votre agenda), faire l'amour plutôt le matin (au moment où vous devriez être plus reposé), adapter vos horaires (vous coucher tous les deux à 21h30, par exemple) et prendre régulièrement un week-end de congé (aller coucher à l'hôtel un samedi soir de temps à autre).

Si, malgré tout cela, vous continuez de vous sentir fatigué, consultez votre médecin : peut-être souffrez-vous d'anémie ou de mononucléose, d'un excès d'alcool ou de médicaments, du syndrome de fatigue chronique ou d'une maladie encore plus grave comme l'hépatite ou l'hypothyroïdie. La fatigue est un message que votre corps envoie à votre cerveau lui demandant de ralentir; en avez-vous la volonté?

10.14 Sexualité, grippe et rhume

La grippe et le rhume constituent deux grandes afflictions humaines qui se manifestent en général deux fois par année pour une durée d'une semaine à chaque fois. L'idéal est évidemment de vous abstenir de tout contact sexuel et de coucher dans des chambres différentes pour éviter la contagion. Si vous décidez d'avoir quand même des relations sexuelles, vous devriez éviter les baisers profonds et les positions sexuelles face à face. Mais, dans cet état, vous n'avez habituellement pas le goût de faire l'amour. Écoutez votre corps.

10.15 Accidents cérébro-vasculaires et sexualité

À moins que l'ACV détruise des fonctions cérébrales indispensables à la sexualité et aussi effrayant qu'un tel accident puisse paraître, les personnes victimes d'ACV retrouvent généralement leur vie sexuelle quelques semaines ou quelques mois plus tard. Lorsqu'il y a perte ou baisse de la libido ou lorsque certains réflexes sexuels (lubrification, érection…) sont atteints, ces symptômes sont plus souvent la conséquence de la médication que de l'ACV lui-même, lesquels disparaîtront avec la fin de la médication. Les paralysies partielles consécutives à l'ACV peuvent, par contre, obliger un couple à faire certaines adaptations au niveau des positions sexuelles. Dans les cas où la vie sexuelle devient impossible, des contacts physiques affectueux seront quand même nécessaires au bien-être des deux partenaires.

11

Sexualité et cancer[1]

Jusqu'à tout récemment, le pourcentage de survie des personnes atteintes du cancer était si faible qu'on ne parlait pas du cancer comme d'une maladie chronique. Les cancéreux mouraient rapidement, en quelques mois ou en deux ou trois ans tout au plus. Maintenant, grâce aux découvertes médicales modernes, on prévoit que 30% des Américains auront une forme quelconque de cancer et que 49% d'entre eux survivront au moins cinq ans après l'établissement de leur diagnostic. L'espérance de guérison et de survie ne peut qu'augmenter dans un futur proche. Dans ce contexte, la sexualité de la personne cancéreuse, loin de disparaître, restera un aspect important de sa qualité de vie, peu importe le lieu de la tumeur.

La relation avec la sexualité soulève plusieurs questions dont certaines n'ont pas encore de réponse. Comment gérer la relation entre la sexualité de la personne vieillissante et le cancer? Quels sont l'impact psychosocial du cancer sur la sexualité et ses conséquences sur la réalité émotive et relationnelle de la personne cancéreuse? En quoi les modifications physiologiques influencent-elles le comportement sexuel? Quels sont les différents aspects à considérer lors de l'établissement de l'évaluation psychosexologique du couple vivant un cancer? Avons-nous des pistes thérapeutiques? Voici quelques éléments de réflexion.

11.1 Impact psychosocial du cancer sur la sexualité

D'un point de vue émotif et social, le traitement du cancer peut être dévastateur pour la sexualité. Pour les personnes plus jeunes et pour celles dont le traitement affecte la fonction sexuelle et l'intégrité corporelle, les conséquences sur la sexualité peuvent être aussi cruciales que leur survie. Les préoccupations concernant la fonction sexuelle peuvent amener des cancéreux à choisir des traitements moins efficaces ou partiels, comme la personne qui opte pour une radiothérapie plutôt que pour l'ablation de la vessie.

L'on sait aussi que la dépression est plus fréquente chez les cancéreux que dans la population en général. La perte du désir sexuel et la rupture des rôles maritaux présagent souvent d'un arrêt complet de toute activité sexuelle durant et après le traitement. Plusieurs études ont démontré toutefois que la prévalence du divorce et de la séparation n'est pas plus élevée que dans la population en général. Les ruptures surviennent principalement chez les couples ayant déjà un niveau élevé de conflit conjugal.

Le traitement du cancer est particulièrement susceptible de modifier l'apparence physique, donc l'image corporelle. La chirurgie ne laisse pas seulement des cicatrices, mais peut impliquer l'ablation d'une partie externe du corps comme un membre, un sein, la vulve ou le pénis. Les opérations pour traiter le cancer du côlon ou de la vessie amènent souvent des dérivations permanentes, telle la colostomie. La radiothérapie a des effets temporaires qui sont publiquement visibles ou du moins évidents pour le conjoint. Les cancéreux qui ne doivent pas laver la partie irradiée pendant plusieurs semaines se plaignent d'une sensation de saleté. Des changements permanents dans la texture de la peau ou la perte de cheveux entrent dans cette catégorie.

Durant toute la période de chimiothérapie, les personnes souffrent de la perte de leurs cheveux et souvent de nausées régulières. Elles peuvent gagner ou perdre du poids ou être obligées de porter des cathéters. Même la thérapie hormonale pour le cancer de la prostate, du sein ou de l'utérus peut subtilement altérer la distribution des tissus adipeux, la texture de la peau ou la pousse des poils et provoquer la perte des cheveux. Les personnes qui prennent des stéroïdes se voient confrontées à une «moon face» et souvent à une poussée d'acné.

Les mythes au sujet du cancer et de la sexualité sont encore très vivaces : la peur de la contagion du cancer à travers l'activité sexuelle, la croyance que la reprise de la sexualité peut réactiver le cancer, que le partenaire sexuel peut être exposé aux radiations pendant la période du traitement externe de radiothérapie ou chimiothérapie, que le cancer est une punition pour des méfaits sexuels passés, etc. Quoique peu de gens disent ne plus croire à ces mythes, certains arrêtent toute activité sexuelle à cause d'eux.

11.2 Impact physiologique sur la sexualité

L'impact physiologique du cancer sur la fonction sexuelle provient davantage des divers traitements plutôt que de la tumeur elle-même. Le cancer et ses traitements peuvent affecter tous les systèmes impliqués dans la fonction sexuelle normale, que ce soit au niveau hormonal, vasculaire ou neurologique ou lorsque la structure même des organes génitaux est atteinte.

1. Impact hormonal

Les personnes traitées pour le cancer peuvent avoir des taux d'hormones anormaux pour plusieurs raisons. Quelques rares cancers, celui de la prostate ou des reins par exemple, peuvent produire des hormones ectopiques. Toutefois, dès que la malignité est contrôlée, le taux d'hormones se normalise.

Les anormalités hormonales les plus communes chez les femmes résultent de l'ablation des deux ovaires, de la radiothérapie pelvienne, des hauts taux de chimiothérapie systémique ou de l'utilisation de produits antioestrogènes pour traiter le cancer du sein ou de l'utérus. Tous ces traitements peuvent provoquer une ménopause prématurée, accompagnée de symptômes plus sévères que normalement. Les symptômes sont généralement permanents, quoique les jeunes femmes puissent recouvrer un cycle menstruel normal après la chimiothérapie, selon le dosage et les médicaments utilisés. La chimiothérapie peut aussi altérer le plaisir sexuel en causant des irritations ou des pertes vaginales temporaires.

Chez les hommes, le traitement chirurgical pour le cancer des testicules implique, la plupart du temps, l'ablation d'un ou des deux testicules. Si l'autre est en bon état, la production de testostérone peut demeurer adéquate. Occasionnellement, la tumeur peut se développer dans le testicule restant, mais le taux de testostérone s'abaisse tellement que l'hormonothérapie devient nécessaire. Les hommes aux prises avec une métastase de la prostate doivent être traités en diminuant le taux de testostérone à un niveau prépubère. Une telle thérapie hormonale peut être faite en enlevant les deux testicules ou en prescrivant des oestrogènes, de la progestérone ou un composé de LHRH. Les hommes ainsi traités ont de graves problèmes avec la perte de leur libido, leurs érections et des difficultés à atteindre l'orgasme.

Les hommes et les femmes prenant de la phénothiazine antiémétique ou une médication opiacée contre la douleur vivent souvent des problèmes sexuels reliés à une hyperprolactinémie modérée.

2. Impacts vasculaires

Nous croyons que les problèmes d'érection en tant que phénomène vasculaire résultent du haut dosage d'irradiation pelvienne utilisé pour traiter le cancer de la prostate, de la vessie ou du côlon. Même dans le cas de tumeur bénigne des testicules, les dosages moindres de radiothérapie provoquent des dysfonctions érectiles et des difficultés orgasmiques. D'autres facteurs à la base des dysfonctions érectiles proviennent de la ligature de vaisseaux sanguins pelviens ou de l'infusion d'agents chimiothérapeutiques à travers les artères pelviennes. On sait actuellement peu de choses sur les facteurs vasculaires dans les dysfonctions sexuelles chez les femmes atteintes de cancer.

3. Impacts neurologiques

Les cancéreux sont aussi un groupe à haut risque pour la diminution neurologique de leur fonction sexuelle. La chimiothérapie et l'immunothérapie augmentent la neuropathie périphérique. Les tumeurs du système nerveux central peuvent détruire des connexions nerveuses essentielles à la fonction sexuelle. Des difficultés érectiles sont fréquemment causées par les interventions chirurgicales de la prostate. Certaines dissections ou résections nécessaires dans le cancer des testicules ou du côlon provoquent des «orgasmes à sec», i.e. sans éjaculation. Par contre, chez les femmes, les opérations au niveau du bassin n'amènent pas de conséquences nettes sur l'excitabilité sexuelle et la capacité orgasmique. Chez les hommes comme chez les femmes, le nerf dit «honteux[2]» est rarement endommagé par les chirurgies du bassin, de sorte que la capacité à atteindre l'orgasme demeure intacte.

4. Impacts sur la structure génitale

La chirurgie des tumeurs pelviennes ou génitales (telles la prostatectomie, la castration partielle ou complète du pénis, l'ablation de l'urètre ou de la vessie, l'hystérectomie, la clitoridectomie ou l'ablation partielle ou complète des lèvres internes ou externes, la colostomie) cause toutefois des dommages à la structure génitale. On peut facilement imaginer l'impact psychologique de ces chirurgies dans un monde tellement axé sur la beauté corporelle.

11.3 Évaluation et traitement psychosexologiques

Lorsqu'une difficulté sexuelle apparaît suite aux conséquences du cancer et de son traitement, le psychologue doit appliquer les règles généralement admises dans l'élaboration de son diagnostic. Toutefois, certains aspects spécifiques doivent faire l'objet d'une attention particulière. Lors des entretiens, l'intervenant doit, par exemple, s'assurer de bien saisir les réactions du client lui-même face au diagnostic de cancer : A-t-il des réactions de négation ? Est-il porté à dramatiser sa situation ? Se sent-il coupable ? Se sent-il triste et déprimé ? Réagit-il avec agressivité face à son entourage ? A-t-il des idées de suicide, des réactions de panique ? Etc. Ces diverses réactions entraîneront des attitudes thérapeutiques différentes.

Il faut aussi évaluer les réactions du conjoint, réactions qui peuvent faciliter ou rendre plus difficiles l'acceptation de la maladie, la poursuite de la vie sexuelle et/ou les interventions sexothérapeutiques. Le conjoint rejette-il la maladie et du fait même le malade ? Se sent-il abandonné, puni, isolé ? A-t-il des réactions de pitié, de peur, de découragement ? Ou, au contraire, reste-t-il compréhensif, positif et aidant ? Pourra-t-on l'utiliser dans la stratégie thérapeutique ?

Les deux membres du couple peuvent-ils accepter toutes les implications sexuelles, relationnelles, sociales, familiales provoquées par le cancer ? Entretiennent-ils de fausses peurs ou croyances concernant l'origine du cancer, la contagiosité de celui-ci lors des relations sexuelles, l'influence de la sexualité sur la rémission, l'évolution ou la récurrence du cancer ? Quelles sont les réactions émotives du cancéreux et de son conjoint face aux stigmates ? Il est évident que les réponses à ces questions, réponses basées sur les connaissances, les croyances et les attitudes des deux membres du couple, influenceront énormément la poursuite ou non de leurs activités sexuelles.

Pour aider le sexothérapeute dans l'élaboration de son diagnostic et de son suivi thérapeutique, il existe deux questionnaires qui ont été développés en 1984. Il s'agit du CIPS, le *Cancer Inventory of Problem Situations* de Heinrich, Schag et Ganz et du FLIC, le *Functional Living Index-Cancer* de Schipper, Clinch, McMurrayet et Levitt. Il n'existe toutefois pas, à notre connaissance, de traduction française de ceux-ci.

Les sessions de thérapie sexuelle se doivent d'être quotidiennes ou plus espacées dépendant de l'espérance de vie de la personne cancéreuse. Évidemment, la période de thérapie doit avoir lieu en dehors des périodes de crises ou de traitements par radio ou chimiothérapie. La thérapie peut se faire de façon encore plus intensive si les conflits conjugaux ou le processus du «mourir» l'exigent.

Le thérapeute sexuel se doit d'abord d'être un éducateur et d'informer le couple de la réalité des effets du cancer sur la fonction sexuelle aux différents niveaux physiologiques énumérés plus haut. Il doit aussi prévenir le couple des effets psychologiques probables et des difficultés avec lesquels il devra composer afin de maintenir un minimum de vécu sexuel. Savoir exactement ce qu'il en est possède une valeur thérapeutique non négligeable et permet très souvent de dédramatiser la situation.

La majeure partie du travail de l'intervenant se situera davantage au niveau du changement des attitudes des deux conjoints : réduire les sentiments de stigmatisation, minimiser le fait d'être malade, rehausser l'image corporelle, déjouer les mythes et fausses croyances au sujet du cancer et de la sexualité, rétablir les faits. Concernant la reprise des activités sexuelles, le thérapeute devra souvent encourager le développement de la sensualité et/ou de comportements sexuels non coïtaux, surtout lorsque la pénétration devient impossible.

Il devra aussi aider le couple à confronter les réactions émotives face au cancer, à renégocier la répartition des tâches quotidiennes, à résoudre les conflits conjugaux ou familiaux, si nécessaire.

La formation du sexothérapeute qui désire travailler avec les couples vivant un cancer devrait aborder toute la dimension des handicaps physiques résultant des diverses opérations chirurgicales. Celui-ci devrait être en mesure d'enseigner aux couples comment composer, lors de leurs relations sexuelles, avec des prothèses, des sacs, des cathéters, des membres amputés mais aussi avec la perte partielle ou totale des organes génitaux, des impossibilités organiques d'érection, des irritations vaginales, de la fatigue chronique, de la douleur...

11.4 Pour en savoir davantage

Pour en savoir davantage, je vous réfère aux lectures suivantes qui m'ont permis de vous présenter le texte ci-dessus :

Andersen, B. L., 1985, Sexual functionning morbidity among cancers survivors : current status and future directions. *Cancer*, 55, 1835-1842.

Balslev, I., & Harling, H., 1983, Sexual dysfunction following operation for carcinoma of the rectum, *Diseases of the Colon and Rectum*, 26, 785-788.

Bergman, B., Damber, J. E., Littbrand, B., Sjögren, K., & Tomic, R., 1984, Sexual function in prostatic cancer patients treated with radiotherapy, orchiectomy, or oestrogens, *British Journal of Urology*, 56, 64-69.

Chapman, R. M., 1982, Effect of cytotoxic therapy on sexuality and gonadal function, *Seminars in Oncology*, 9, 84-94.

Goldstein, I., Feldman, M. I., Deckers, P. J., Babayan, R. K., & Krane, R. J., 1984, Radiation-associated impotence : a clinical study of its mechanism, *Journal of the American Medical Association*, 251, 903-910.

Heinrich, R. L., Schag, C. C., & Ganz, P., 1984, Living with cancer : The Cancer Inventory of Problem Situations, *Journal of Clinical Psychology*, 40, 972-980.

Rieker, P. P., Edbril, S. D., & Garnick, M., 1985, Curative testis cancer therapy : Social and emotional consequences, *Journal of Clinical Oncology*, 3, 1117-1126.

Schipper, H., Clinch, J., McMurray, A., & Levitt, M., 1984, Measuring the quality of life of cancer patients : The Functional Living Index-Cancer: Development and validation, *Journal of Clinical Oncology*, 2, 472-483.

Schover, L. R., & Soren Buus, J., 1988, *Sexuality and Chronic Illness, A Comprehensive Approach*, The Gilford Press, New York, 357 p.

Schover, L. R., 1986, Sex and the cancer patient. In B.A. Stoll (Ed.), *Coping with cancer stress*, pp. 71-80, Dordrecht, The Netherlands: Martinus Nijhoff.

Schover, L. R., & von Eschenbach, A. C., 1985, Sexual and marital relationship after treatment for nonseminomatous testicular cancer, *Urology*, 25, 251-255.

Schover, L. R., Gonzales, M., & von Eschenbach, A. C., 1986, Sexual and marital relationship after radiotherapy for seminoma, *Urology*, 27, 117-123.

• • • • •

J'aurais aimé pouvoir être positif en parlant du cancer et de la sexualité, comme à mon habitude. Mais force m'est donnée de constater que le cancer possède une influence très négative sur la qualité de la vie sexuelle. Tout ce que je peux dire, c'est que, malgré tout, la vie sexuelle, même limitée aux caresses et à la masturbation réciproque, est encore possible et souhaitable pour le couple cancéreux.

Évidemment, je vous ai ici parlé de cancers terminaux avec une espérance de survie de quelques années à peine. Dans tous les cas où la rémission du cancer est totale, les impacts sociaux, physiologiques et psychologiques sont les mêmes, mais grandement amoindris. Un cancer de la peau, pris et guéri à ses débuts, n'aura pas les mêmes effets dévastateurs que l'ablation d'une partie des organes génitaux ; même l'ablation d'un sein n'empêche pas la poursuite ou la reprise de l'activité sexuelle. Dans les cas de cancers mineurs, le retour à la vie sexuelle normale se fait généralement plus rapidement. Toutefois, ce qui a été dit plus haut concernant l'évaluation et le traitement psychosexologiques s'applique.

Chapitre

12

La thérapie de l'impuissance

La psychothérapie sexuelle n'existe en fait que depuis le milieu des années 60. Ce sont les travaux de William Masters et de Virginia Johnson qui nous ont permis de mieux comprendre le fonctionnement sexuel et de développer des stratégies nous permettant de résoudre les difficultés d'ordre sexuel. Ces principales difficultés sont, chez l'homme : perte ou faiblesse de la libido, difficultés érectiles, difficultés éjaculatoires, orgasmes anhédoniques (sans plaisir) ou douloureux. Chez la femme : perte ou faiblesse de la libido[1], anorgasmie primaire ou secondaire, dyspareunies.

Toutes ces difficultés répondent facilement et rapidement aux interventions thérapeutiques. Il n'existe plus, aujourd'hui, aucune raison médicale ou psychologique pour laquelle une personne ou un couple ne pourrait pas vivre une sexualité épanouie. Plus aucune, sauf la gêne d'en parler et, peut-être, la peur des réactions du thérapeute. Pourtant, le thérapeute n'est pas là pour vous juger, mais pour vous aider ; et il sait, lui, que les difficultés sexuelles sont très fréquentes et presque « normales » dans l'évolution de la vie d'un couple. Ne laissez donc pas la honte ou un orgueil mal placé vous empoisonner l'existence et, surtout, n'attendez pas : consultez dès que certains symptômes se manifestent ; la thérapie, médicale ou psychologique, n'en sera que plus facile et rapide. Rappelez-vous que votre thérapeute est tenu au secret professionnel et qu'il fera tout pour assurer la confidentialité.

Assurez-vous, par contre, que le professionnel consulté ait bien reçu une formation spécialisée en thérapie sexuelle ; il ne suffit pas d'être médecin ou psychologue pour être un expert en sexualité. Consulter un thérapeute sexuel ne signifie pas que vous êtes un incapable ou un malade mental mais bien que vous avez plus de courage et de volonté que les autres pour faire face à vos difficultés et les régler. Voici ce qui se passera si vous décidez de consulter un thérapeute sexuel.

12.1 Le diagnostic

Après avoir pris vos coordonnées pour constituer votre dossier[2], la première démarche qu'effectuera le thérapeute sexuel sera de vérifier si votre difficulté sexuelle est d'ordre physique ou d'ordre psychologique. Ces deux dimensions interfèrent souvent pour compliquer le tableau, mais l'objectif des premières rencontres est d'éliminer toute cause organique avant d'entreprendre un processus psychothérapeutique. Rien ne sert de traiter la peur d'un coït douloureux et d'apprendre à la femme à se détendre si elle souffre de sécheresse vaginale ; il est préférable de lui prescrire des oestrogènes et, la douleur disparaissant, la femme apprendra par elle-même à relaxer et sa peur se dissipera, même si, parfois, il peut être utile de travailler sur les deux plans pour accélérer le processus de guérison.

Voici des exemples de questions que le thérapeute vous posera si vous consultez pour une dysfonction sexuelle. Pour une meilleure illustration, j'ai délibérément choisi l'impuissance érectile parce que c'est la principale difficulté sexuelle à laquelle le couple vieillissant fera face un jour ou l'autre et aussi parce qu'à peine 10% des hommes aux prises avec des problèmes érectiles consultent alors que tous pourraient grandement profiter de l'efficacité des thérapies sexuelles, psychologiques ou médicales. Toutes ces questions visent évidemment à établir un diagnostic différentiel[3] :

- La difficulté est apparue depuis quand ?
- Est-ce la première fois que vous éprouvez des difficultés de ce genre ?
- Ces difficultés sont-elles apparues subitement ou progressivement ?
- Comment réagissez-vous devant ces difficultés ?
- N'avez-vous plus du tout d'érections ou perdez-vous vos érections en cours de route ou au moment de la pénétration ?
- Vous réveillez-vous parfois avec de solides érections, soit au cours de la nuit, soit le matin ?
- Avez-vous des érections dans certaines circonstances et pas du tout dans d'autres ? Lesquelles ?
- (Pour un homme vivant seul) Avez-vous des érections avec une partenaire et pas avec une autre ? Quelles sont les différences entre ces partenaires ?
- Avez-vous de bonnes érections lorsque vous vous masturbez ?
- Avez-vous eu un changement majeur dans votre vie au moment de l'apparition de vos difficultés érectiles ?
- Comment réagit votre partenaire devant vos difficultés érectiles ?
- Vivez-vous actuellement un moment difficile avec votre compagne ?
- Éprouvez-vous de la colère ou du ressentiment envers votre partenaire ?
- Votre compagne est-elle active ou passive dans vos relations sexuelles ?

- Votre partenaire stimule-t-elle directement vos organes géni-
taux ou est-elle réticente à le faire ?
- Votre partenaire a-t-elle vécu des changements corporels
majeurs ces derniers temps ?
- Avez-vous plus de facilité à être en érection lorsque vous êtes
en vacances ?
- Prenez-vous des médicaments ? Des drogues ?
- Fumez-vous ? Quelle est votre consommation quotidienne ou
hebdomadaire d'alcool ?
- Avez-vous des problèmes de santé ? À quand remonte votre
dernier examen médical ?
- Faites-vous régulièrement de l'exercice ?
- Quelles sont vos habitudes alimentaires ?
- Êtes-vous près ou loin de votre poids santé ?
- Est-ce qu'il y a dans votre vie des événements que je devrais
connaître afin de pouvoir mieux vous aider ?

Si, par exemple, vos difficultés sont apparues progressivement, que
c'est la première fois que vous éprouvez ces difficultés, que vous
n'avez plus d'érections même pendant la nuit ou lorsque vous vous
masturbez, que vous ne vivez aucune difficulté conjugale majeure
et qu'aucun changement n'est apparu dans votre vie, que votre
femme est active sexuellement et ne craint pas de vous faire une
fellation, que vous fumez et prenez beaucoup d'alcool, que vous ne
faites aucun exercice et avez de mauvaises habitudes alimentaires
et qu'en plus vous êtes obèse…, il est fort à parier que l'origine
de vos difficultés érectiles est d'ordre physique et que ce n'est pas
entre vos deux oreilles que cela se passe. Vous serez alors référé à
un urologue pour un examen approfondi.

Si, au contraire, vos difficultés sont apparues subitement, que ce
n'est pas la première fois que vous avez des problèmes avec vos
érections, que vous avez de solides érections nocturnes, matinales

et lors de vos masturbations, que votre femme vous menace de vous quittez si vous ne réglez pas « votre » problème, qu'elle participe très peu à vos jeux sexuels, que vous risquez d'être mis précocement et à votre corps défendant à la retraite, qu'il y a fort longtemps que vous n'êtes pas parti en vacances avec votre partenaire, que vous avez de saines habitudes de vie et aucun ennui de santé même si vous venez de fêter votre 55e anniversaire…, il est fort probable que l'origine de vos difficultés érectiles est d'ordre psychologique.

Mais même dans ce cas, un psychothérapeute prudent vous enverra passer un examen urologique, surtout si vous avez plus de 40 ans. Dans le cas de dysfonctions féminines, nous demandons à la femme de passer un examen gynécologique.

De plus, le thérapeute établira avec vous votre historique sexuel et amoureux : éducation sexuelle familiale et scolaire, jeux sexuels infantiles et adolescents, premières amours et premiers échecs amoureux, évolution de votre vie sexuelle adulte… tout cela à la recherche d'événements marquants ayant pu influencer votre apprentissage sexuel. Il évaluera aussi vos croyances et attitudes face à la sexualité.

12.2 L'examen urologique

L'examen urologique comporte plusieurs étapes, chacune à la recherche de causes organiques possibles.

1. La palpation des testicules permet de vérifier s'il y a atrophie des testicules.

2. Le toucher rectal, quant à lui, recherche des signes d'hypertrophie, d'infection ou de tumeur de la prostate. Si la prostate

est congestionnée, il arrive qu'il y ait une émission de sperme ou de liquide due à la pression du contact. Cette émission se fait sans orgasme et n'est aucunement signe d'homosexualité. C'est tout simplement un signe de congestion prostatique.

3. L'examen des différents corps et parties du pénis éliminera toute anormalité. Entre autres, la maladie de Peyronie qui se développe plus souvent chez l'homme âgé à cause d'une plaque, d'une lésion ou d'un fibrome situé dans un corps caverneux, et qui se manifeste par une déviation prononcée du pénis.

4. Le test du périnée et du réflexe bulbocaverneux vérifiera que le nerf responsable de l'érection n'est pas défectueux.

5. Un test de la pression sanguine du pénis sera fait à la recherche d'artériosclérose, de diabète, de mauvais cholestérol ou autres conditions pouvant affecter la circulation sanguine dans les corps caverneux et spongieux du pénis.

6. Une évaluation sera faite de votre taux de testostérone par une simple prise de sang.

7. La prise de sang permettra aussi de vérifier s'il y a présence de cancer de la prostate par un test appelé APS (antigène prostatique spécifique).

8. Si vous prenez des médicaments quelconques, l'urologue pourra vérifier si ceux-ci peuvent avoir des effets secondaires négatifs sur votre sexualité.

9. Il pourra aussi évaluer si votre consommation d'alcool, de tabac ou de caféine pourrait ne pas être la source de vos difficultés érectiles.

10. Si nécessaire, une échographie et une biopsie seront utilisées pour confirmer ou infirmer la présence de tumeurs.

Les traitements urologiques sont variables mais, s'il n'est pas trop tard, très efficaces. Évidemment, l'objectif ultime est de rétablir votre état de santé et de contrôler les conditions ou maladies qui peuvent avoir une influence négative sur votre sexualité. Toutefois, si votre impuissance est provoquée par certaines chronicités, comme le diabète, l'artériosclérose ou des problèmes cardiaques, l'urologue pourra alors intervenir de différentes façons :

1. Prescription d'un supplément d'hormones.

2. Modification de la médication pour des médicaments équivalents moins nocifs pour la sexualité.

3. Prescription de médicaments, tel le Viagra® (voir le chapitre suivant sur le Viagra®).

4. Chirurgie pour enlever les tumeurs ou traiter votre système vasculaire ou valvulaire[4].

5. Prescription de radiothérapie ou chimiothérapie.

6. Prescription d'exercices physiques.

7. Suggestion de modifications de vos habitudes de consommation ou d'alimentation.

8. Prescription d'appareils pouvant faciliter vos érections lorsque les érections spontanées ne sont plus possibles, tel un vacuum[5] ou un étrangleur[6].

9. Prescription d'injections de liquide vasodilatateur directement dans les corps caverneux de votre pénis à l'aide d'une seringue. Cette injection provoque immédiatement une érection qui dure généralement une heure. Vous pouvez facilement apprendre à faire des auto-injections.

10. Prescription d'implants péniens, appareils qui sont installés en permanence dans votre pénis. Ce sont deux cylindres de silicone placés dans votre pénis et qui agissent comme vos deux corps caverneux. Ces implants sont prescrits lorsque toutes les autres interventions se sont révélées inefficaces.

Certaines de ces interventions sont relativement simples; d'autres sont beaucoup plus complexes, telles la chirurgie, l'utilisation d'appareils ou les injections, et provoquent des effets secondaires physiques ou psychologiques indésirables. Certaines interventions sont relativement nouvelles (le Viagra® en est un exemple). Seul votre urologue pourra vous renseigner adéquatement sur les pour et les contre de chacune de ces interventions. N'hésitez pas à le consulter et à lui poser toutes les questions qui vous viennent à l'esprit. L'urologue compétent vous référera à un autre professionnel s'il ne connaît pas les réponses à vos questions.

À titre préventif et même lorsqu'il s'agit de dysfonction masculine, nous demandons souvent à la partenaire féminine de passer un examen gynécologique. Celui-ci comprend un historique médical, une évaluation du cycle menstruel, la recherche d'habitudes (alimentation, exercice) pouvant affecter la sexualité, une mammographie, un test d'urine, une prise de sang, un Pap test pour détecter les anormalités et une biopsie, si nécessaire. En tout temps, vous devriez vous sentir à l'aise avec votre gynécologue et vous avez droit à la douceur et à l'écoute; sinon, changez de gynécologue.

12.3 Les séances thérapeutiques

Une fois assuré qu'aucune cause d'origine mécanique, nerveuse ou hormonale n'est à la source de votre difficulté sexuelle, qu'elle est bien d'ordre psychologique, émotive ou relationnelle, le thérapeute sexuel peut alors intervenir. Remarquez que le thérapeute sexuel peut aussi intervenir lorsque les causes sont organiques pour aider le client à gérer les dimensions émotives pré ou post-intervention, mais son rôle est encore plus approprié lorsqu'il n'existe aucune cause organique. La thérapie sexuelle tient généralement compte de trois dimensions : pédagogique, psychologique et comportementale.

1. La dimension pédagogique

Cette dimension de la thérapie sexuelle consiste, entre autres, à :

1.1 Vérifier l'exactitude de vos connaissances sur la sexualité.

1.2 Confirmer, infirmer ou modifier ces connaissances pour les ajuster à la réalité.

1.3 Vous transmettre de nouvelles connaissances sur :
- le cycle des réactions sexuelles,
- la sexualité féminine et masculine, et
- les dynamiques inhérentes à tous les couples.

1.4 Rechercher les mythes, préjugés et fausses croyances que vous pourriez entretenir sur la sexualité et qui influencent négativement celle-ci.

Souvent, la simple transmission d'informations suffit à dédramatiser bien des situations et à modifier des comportements.

Dans la situation qui nous occupe, votre thérapeute sexuel vérifiera d'une manière ou d'une autre vos connaissances sur le mécanisme de l'érection et les effets de l'âge sur ce mécanisme. Il évaluera si vous êtes bien au courant des nouvelles conditions nécessaires à la poursuite du bon fonctionnement de votre sexualité, par exemple la nécessité d'une plus grande stimulation physique de la part de votre partenaire. Souvent, il vous suggérera des lectures pouvant accélérer le processus thérapeutique.

2. **La dimension psychologique**

Ici, le travail du thérapeute consiste à vous faire prendre conscience de pensées, attitudes, conditionnements, réactions, dynamiques (individuelles et conjugales)... dont vous êtes généralement inconscient mais qui influencent négativement, à votre insu, votre comportement sexuel. Vous résistez généralement à ces prises de conscience, non pas parce que vous êtes de mauvaise foi, mais parce que celles-ci vous amènent à vous remettre en question et à réévaluer votre perception de la situation. Cette conscientisation vous oblige aussi à modifier des comportements qui vous procuraient peut-être des bénéfices secondaires mais qui, à la longue, sont devenus destructeurs pour le couple. Par exemple, il n'est pas facile d'admettre que :

- vous avez développé involontairement des scénarios de sabotage sexuel ;

- votre impuissance est peut-être une façon inconsciente d'exprimer votre agressivité à votre partenaire ;

- votre partenaire n'est pas le seul responsable de la situation et que ce n'est pas seulement lui qui doit changer ;

- les moyens que vous utilisez en toute bonne foi pour aider votre partenaire sont plutôt nuisibles ;

• l'impuissance de votre partenaire fait votre affaire et qu'inconsciemment vous ne voulez pas qu'il guérisse;

• vous essayez de régler un conflit oedipien ou de régler le problème de vos parents en exigeant certains comportements de votre partenaire;

• la difficulté sexuelle, impuissance ou autre, n'est que la conséquence d'un conflit conjugal et non la cause;

• vous avez développé des stratégies de manipulation de votre partenaire;

• vous êtes seul responsable de vos émotions, et non votre partenaire;

• votre couple est aux prises avec une lutte pour le pouvoir dont l'un est le dominant et l'autre le dépendant, cette lutte pour le pouvoir minant évidemment votre sexualité;

• votre façon de voir le couple et la sexualité est basée sur des illusions;

• votre besoin d'attachement vous rend dépendant;

• il n'y a pas de coupable mais plutôt une situation conflictuelle dont les deux membres du couple sont à la fois les réalisateurs et les acteurs;

• l'infidélité d'un des deux partenaires est peut-être ce qui va sauver le couple;

• il n'y a pas une victime et un coupable, mais deux perdants.

Et ainsi de suite. Malgré notre intelligence, notre bonne foi et notre amour pour notre partenaire, notre inconscient nous joue souvent de mauvais tours et c'est une des dimensions du travail du psychothérapeute sexuel de mettre à jour cette influence de notre inconscient. Nous pouvons ainsi nous défaire plus facilement de scénarios destructeurs ou d'autoverbalisations négatives qui remontent souvent à notre enfance mais qui empoisonnent notre vie adulte.

3. La dimension comportementale

Si vous entreprenez une thérapie sexuelle, vous aurez des « devoirs » à faire à la maison, seul ou avec votre partenaire. Une difficulté sexuelle est généralement la conséquence d'une mauvaise information, d'attitudes négatives mais aussi de comportements appris mais inadéquats. La femme qui ne connaît pas son corps pourra difficilement enseigner à son mari ce dont elle a besoin comme stimulation pour parvenir à l'orgasme. L'adolescent qui se masturbait à toute vitesse pourra difficilement modifier son comportement du jour au lendemain et contrôler son éjaculation simplement parce qu'il aime sa femme. Il ne suffit pas de vouloir pour modifier un conditionnement. Les deux partenaires doivent désapprendre ce qu'ils ont appris et réapprendre à faire l'amour.

Les psychologues et sexologues ont développé une série de stratégies et de techniques permettant cette modification du comportement sexuel. Par exemple, l'impuissance est souvent due à une trop grande génitalisation de la sexualité. Le thérapeute suggérera alors des exercices (par exemple, les trois types de massages érotiques décrits au chapitre 8 : La variété sexuelle) qui permettront au couple de mettre l'accent sur la sensualité et d'apprendre ainsi le laisser aller nécessaire pour que les réactions sexuelles réflexes puissent se produire. Des exercices décrits dans la deuxième partie de ce livre et plusieurs autres vous seront aussi enseignés afin de permettre au couple aux prises avec une difficulté érectile de la surmonter : les exercices de Kegel, le vagin tranquille, le massage du périnée, la technique arrêt-départ (stop and start), l'utilisation de fantasmes, le contrôle respiratoire, des techniques de détente…

Tous ces exercices sont utilisés pour vous aider à remplacer des comportements inadéquats par des comportements mieux adaptés. Ils ne peuvent évidemment pas s'appliquer de façon technique ; le thérapeute doit tenir compte de la situation particulière de chaque couple. Les comportements à changer seront parfois sexuels, mais ils pourront aussi très bien se situer au niveau de la dynamique relationnelle du couple, par exemple rétablir un meilleur équilibre entre un fort besoin fusionnel de l'un face à un besoin d'autonomie de l'autre. Là aussi, différentes stratégies comportementales ont été élaborées par les psychologues pour venir en aide aux couples.

12.4 Le suivi

Une thérapie sexuelle bien orchestrée prend généralement de cinq à quinze rencontres, à raison d'une rencontre hebdomadaire. Si votre thérapie s'étire dans le temps, il serait peut-être bon d'en questionner les objectifs ou les outils thérapeutiques : voulez-vous arriver, efficacement et rapidement, à une modification de comportement, sexuel ou autre, ou voulez-vous entreprendre une psychanalyse ou une sexoanalyse qui risque de s'étendre sur une ou plusieurs années ? Le choix est le vôtre, mais votre objectif doit être clairement exprimé à votre thérapeute qui pourra alors vous référer si votre demande ne correspond pas à ses compétences. Votre satisfaction, la confiance établie avec votre thérapeute et votre impression d'être compris et d'avancer dans votre thérapie sont des critères que vous pouvez utiliser pour évaluer celle-ci. N'hésitez pas à changer de thérapeute si vous avez l'impression de tourner en rond.

Personnellement, lors de thérapie sexuelle et conjugale, je demande à recevoir individuellement chacun des membres du couple avant de recevoir le couple. Les deux premières entrevues me permettent d'aller chercher le maximum d'informations sans l'interférence du partenaire. La troisième entrevue permet d'évaluer la dynamique interactive installée à l'intérieur du couple et de comparer la perception des deux partenaires de la situation problématique. Ces trois entrevues me permettent d'élaborer le diagnostic différentiel et de proposer au couple certaines stratégies thérapeutiques. Il m'arrive parfois de travailler continuellement avec les deux partenaires ; parfois, avec un seul, à tour de rôle ou de façon prioritaire avec le partenaire dont le cheminement peut le plus apporter à l'évolution du couple et faciliter ainsi l'apprentissage du bonheur sexuel du couple. Non pas parce que ce dernier est plus « perturbé » que l'autre, mais tout simplement parce qu'un changement comportemental de l'un entraînant nécessairement un changement comportemental de l'autre, le partenaire le plus disposé ou le plus nécessiteux à changer permettra une accélération du processus thérapeutique.

Une fois terminée la thérapie sexuelle, c'est-à-dire une fois atteints vos objectifs d'amélioration de votre vie sexuelle, le thérapeute demandera probablement à vous revoir trois mois, six mois et un an plus tard afin de s'assurer que les changements comportementaux, psychologiques et pédagogiques ont bien été intégrés et maintenus.

En terminant ce chapitre, je tiens à répéter que la véritable dimension de la thérapie sexuelle consiste à déculpabiliser et dédramatiser la réalité sexuelle, à modifier les attitudes et les perceptions, à faire disparaître les illusions et fausses croyances et non pas seulement à enseigner des techniques quelque excellentes et efficaces qu'elles puissent être.

Si vous décidez d'utiliser par vous-même, sans l'aide d'un thérapeute, les techniques décrites dans ce chapitre et dans ce livre, n'essayez pas tout en même temps : vous allez vous compliquer la vie pour rien et probablement empirer la situation. Donnez-vous le temps, disons un à trois mois, pour les expérimenter l'une après l'autre. Ne retenez que celles qui semblent vous convenir et qui vous donnent des résultats perceptibles. Et, surtout, donnez-vous aussi le droit à l'erreur : rappelez-vous que vous vous êtes égratigné les genoux à plusieurs reprises avant de pouvoir faire de la bicyclette sans tenir le guidon.

Et si ça ne fonctionne pas, n'hésitez pas à consulter. C'est probablement l'un des meilleurs investissements que vous ferez dans votre vie.

Chapitre

13

Le Viagra®

L'humanité entière a maintenant entendu parler du Viagra®. Des millions d'hommes ont déjà profité de ses effets. Plusieurs parlent d'une véritable révolution sexuelle, révolution comparable à celle suscitée par la pilule anticonceptionnelle découverte en 1964. Cette pilule miracle pour les hommes impuissants transformerait à tout jamais la sexualité conjugale. Les actionnaires de la compagnie pharmaceutique qui l'a mise en marché ont vu la valeur de leurs actions quintupler[1], et cela ne semble pas encore terminé.

Qu'est-ce au juste que le Viagra®? Tiendra-t-il ses promesses ou ne sera-t-il qu'un feu de paille comme le Prozac®?

13.1 Présentation du Viagra®

Viagra® est une marque de commerce déposée par les laboratoires Pfizer, une multinationale américaine. Le nom provient de la contraction de vigor (vigueur) et de Niagara, ville ontarienne par excellence pour les voyages de noces. Cette petite pilule contient du sildénafil. Comme beaucoup d'autres médicaments, les effets du sildénafil furent découverts par hasard, au début des années 90, alors qu'on cherchait un médicament pour traiter les insuffisances coronariennes des cardiaques. Très rapidement, les chercheurs s'aperçurent que les «cobayes» mâles rapportaient des érections hors de l'ordinaire, même chez les hommes impuissants depuis des années. On orienta les recherches en ce sens et les résultats dépassèrent toutes les espérances: 80% des hommes souffrant de problèmes érectiles retrouvaient leur capacité sexuelle après l'administration de Viagra®, même à faible dose.

Les comprimés de Viagra® se présentent sous forme de losange bleu, d'où le surnom de «pilule bleue». Trois dosages sont actuellement disponibles: 25, 50 et 100 mg. Le coût moyen est de 8 à 10$US par pilule. Le Viagra® est disponible sur le marché américain depuis que la Food and Drug Administration en a autorisé la vente en date du 27 mars 1998; en France, depuis mai 98; au Canada, où les lois sur l'acceptation d'un nouveau médicament sont très sévères, depuis le 8 mars 1999. De nombreux autres pays en autorisent ou en autoriseront bientôt la vente.

13.2 Le mode d'action du Viagra®

Le sildénafil agit en inhibant l'action de la phosphodiestérase, enzyme qui contracte les fibres musculaires lisses des corps caverneux du pénis au repos, empêchant ainsi le sang d'affluer dans ces corps. Le sildénafil, par une action complexe antagoniste (dont il serait superflu ici d'en faire la description complète[2]), provoque la relaxation de ces fibres musculaires, laquelle relaxation facilite la circulation sanguine et permet l'érection naturelle du pénis. La prise du Viagra® augmenterait aussi les sensations érotiques et aurait restitué la fonction orgasmique chez certains utilisateurs.

La relaxation des tissus caverneux se produit dans les 15 à 60 minutes suivant l'absorption du Viagra®, à la condition évidemment qu'un contexte érotique favorise l'excitation sexuelle. Le Viagra® n'est donc pas un aphrodisiaque au sens pur du terme ; il restaure tout simplement la capacité érectile réflexe des organes génitaux mâles. L'action du Viagra® se fait sentir jusqu'à quatre heures après son absorption ; ensuite, le foie l'élimine rapidement.

13.3 À qui s'adresse le Viagra® ?

Le sildénafil peut aider tous les hommes, peu importe leur âge, leur orientation sexuelle ou leur statut civil, qui souffrent d'une difficulté érectile rendant pénibles ou impossibles leurs rapports sexuels. Ce sont surtout les hommes dont les causes de leur impuissance ont des origines psychologiques qui réagissent le mieux au Viagra® : 40 à 80% de ceux-ci, selon les études, ont retrouvé une sexualité active et épanouissante, et cela dès la première ingestion du Viagra®. Pour ceux dont les causes sont d'ordre organique, 40 à 75 % des hommes rapportent tout de même une amélioration de leur capacité érectile.

À cause des indications, des contre-indications et des effets secondaires potentiellement dangereux, seul le médecin peut vous prescrire le Viagra®. Il faut donc éviter d'acheter du sildénafil, ou un composé substitut, sur le marché noir des pays qui n'ont pas encore autorisé la vente du Viagra® en pharmacie. Tout comme il serait absurde d'accepter de prendre le comprimé de Viagra® d'un ami qui voudrait vous rendre service ou vous faire vivre une expérience «extraordinaire». Vous risqueriez de vous en rappeler très longtemps… si vous survivez à l'expérience. De toute façon, la compagnie Pfizer insiste pour dire que le Viagra® n'améliore pas la performance sexuelle chez les hommes qui ne sont pas impuissants et qu'elle ne connaît pas les conséquences possibles d'un tel comportement. «Dans le doute, mieux vaut s'abstenir» s'applique très bien ici.

13.4 Contre-indications et effets secondaires

Au moment d'écrire ces lignes, 170 décès ont été corrélés au Viagra®, ce qui signifie que le Viagra® n'est pas la cause directe de ces décès, mais y est impliqué. Plusieurs de ces hommes souffraient déjà de graves problèmes de santé (diabète, hypertension, graves troubles cardiaques, hypercholestérolémie, insuffisance artérielle…); ils seraient morts avec ou sans Viagra®. En fait, seuls les hommes prenant des médicaments à base de nitrate pourraient accuser le Viagra® d'être responsable de leur mort.

Contrairement à la croyance populaire, ce ne sont pas les problèmes cardiaques qui constituent la contre-indication au Viagra® mais plutôt le fait que les cardiaques et ceux qui souffrent d'hypertension ou d'angine prennent des médicaments à base de nitrate. Ces médicaments représentent la seule véritable contre-indication car le Viagra® augmente considérablement leur effet dilatateur et l'association des deux peut provoquer une chute mortelle de la tension artérielle. Sachez que, si vous ne pouvez remplacer ces médicaments par d'autres substituts exempts de nitrate et que vous prenez quand même du Viagra®, vous jouez avec les poignées de votre cercueil. Comme on retrouve aussi du nitrate dans les «Poppers», cette drogue dure constitue aussi une contre-indication incontournable.

Selon la recherche du docteur David Elia, gynécologue et auteur de plusieurs ouvrages sur la sexualité, les effets secondaires sont peu nombreux et acceptables. Ils consistent essentiellement en : maux de têtes (6 à 30 % des utilisateurs); bouffées de chaleur (1 à 20 %); troubles digestifs, nausées, vomissements (1 à 16 %); congestions nasales (2 à 11 %); troubles temporaires de la vision des couleurs (1 à 9 %). Ces effets secondaires sont évidemment directement proportionnels à la quantité ingurgitée.

Plusieurs questions restent toutefois sans réponse au sujet du Viagra® et de ses effets :

• Comment expliquer les troubles de vision ? Pourquoi certains hommes voient-ils le vert en bleu après avoir pris du Viagra® ? Lorsque le Viagra® pour femmes sera disponible, verront-elles le vert en rose ? Probablement qu'elles verront, elles aussi, la vie en bleu. Qu'est-ce qui cause la vision troublée et la vulnérabilité à la lumière vive ? Le silnédafil accélérera-t-il les troubles de vision fréquents lors de la vieillesse ?

• Quels seront les effets à moyen et long termes pour un homme qui prendrait du Viagra® sur une période de 5 à 10 ans ?

• Comment expliquer les maux de tête, les bouffées de chaleurs, les nausées, les congestions… ?

• L'effet hypotenseur du Viagra® peut-il être dangereusement augmenté en association avec des médicaments ou produits relaxants (alcool, drogues…) ?

• Certaines maladies deviendront-elles de nouvelles contre-indications au Viagra® : ulcère d'estomac, cirrhose du foie, insuffisance rénale, tabagisme, anémies, cancer du sang…

• Peut-on associer sans aucun risque Viagra® et hormonothérapie mâle ?

Tout ce qui précède veut souligner l'importance d'être suivi par un médecin très au courant de votre dossier si vous décidez d'utiliser le Viagra®. Prenez-en seulement si votre médecin vous y autorise et refusez, gentiment mais fermement, celui que votre ami vous propose pour vous aider.

13.5 Impacts psychologiques, sexologiques et sociologiques

Il n'y a aucun doute que les couples aimants âgés de plus de 40 ans aux prises avec des difficultés érectiles et désireux de conserver et d'améliorer leur vie sexuelle active profiteront grandement de la venue du Viagra®. En fait, le principal atout du Viagra® est de permettre aux hommes impuissants ou semi-impuissants de recouvrer naturellement leur fonction érectile. Cette reprise de « puissance » érectile a pour effet de redonner confiance, estime de soi et joie de vivre à l'homme préoccupé par sa performance, ou plutôt par l'absence de performance. L'homme de 60 ans, plus sûr de lui-même, pourra réactiver sa vie sexuelle et refaire la cour à sa partenaire. S'il est veuf ou divorcé, il pourra partir plus facilement à la recherche d'une nouvelle partenaire, sexuelle et/ou amoureuse.

En rétablissant le réflexe érectile, le Viagra® renverse le cercle vicieux échec-peur de l'échec qui provoque l'échec. Les utilisateurs rapportent non seulement une plus grande sensibilité et réceptivité aux stimulations sexuelles de leurs partenaires, mais aussi une plus grande intensité et une plus grande durée de leurs érections et de leurs éjaculations. De plus, certaines femmes dénotent aussi une amélioration de leur vie sexuelle et une augmentation de leur libido. Risquant moins de se voir rejetées par leur partenaire, elles s'abandonnent davantage. Le rapport sexuel n'est plus une épreuve basée sur la présence ou non de l'érection mais redevient ce qu'il doit être : un échange de plaisirs physiques et d'émotions, couronné ou non par l'orgasme, entre deux personnes qui s'aiment.

L'arrivée du Viagra® a aussi eu un impact sociologique important : les hommes parlent plus ouvertement de leur impuissance avec leur médecin et entre eux. Le tabou de l'impuissance, véritable lèpre de cette fin du XXe siècle, serait-il en train de disparaître ? Les « hippies » devenus « boomers » seront-ils les artisans d'une deuxième révolution sexuelle en l'espace d'une seule vie ? Que se passera-t-il lorsque les chercheurs auront trouvé un antidote au Sida avec une « pilule du plaisir » à portée de main ?

L'aspect le plus intéressant dans les observations et conclusions des chercheurs, c'est que le Viagra® se montre particulièrement efficace avec les hommes dont les causes de l'impuissance sont d'ordre psychologique. Comment expliquer cela ? Comme nous l'avons vu, la principale action du Viagra® est de détendre les fibres musculaires des corps caverneux. Pourquoi ces fibres empêchent-elles la circulation sanguine nécessaire à l'érection ? Parce qu'elles sont sous tension musculaire. D'où provient cette tension musculaire ? Le Viagra® nous prouverait-il que la véritable ou du moins la plus importante cause de la tension musculaire à l'origine de l'impuissance est d'ordre psychologique ? En augmentant le seuil de stress des fibres musculaires responsables de l'érection, ferons-nous disparaître automatiquement les facteurs psychologiques à la source de ce stress ? Permettez-moi d'en douter fortement. Le Viagra® rétablit la fonction érectile réflexe de l'homme, mais il ne règle pas les problèmes psychologiques à la source de cette dysfonction ; il peut même en créer de nouveaux. En voici quelques exemples :

• Si la cause psychologique de l'impuissance réside dans un conflit conjugal profond ou larvé, la récupération de la capacité érectile de l'homme pourra intensifier le conflit en augmentant le désir sexuel de celui-ci.

• Si l'homme utilisait inconsciemment son impuissance pour exprimer son agressivité à sa partenaire, le rétablissement de son réflexe érectile ne fera pas disparaître automatiquement cette agressivité, laquelle pourrait s'exprimer sous une autre forme.

• La femme avec une faible libido qui trouvait accommodantes les difficultés érectiles de son mari ne sera certes pas très heureuse de voir son mari redevenir un «chaud lapin».

• L'homme impuissant est un homme fidèle. Le Viagra® ne provoquera-t-il pas une augmentation d'aventures extra-conjugales pour l'homme qui voudra démontrer sa puissance retrouvée?

• L'homme qui se sentait diminué devant sa femme à cause de son impuissance et se soumettait à elle voudra, grâce au Viagra®, reprendre le contrôle du couple, réactivant ainsi une lutte pour le pouvoir et probablement la dynamique sous-jacente à sa difficulté érectile antérieure.

• Si, malgré la prise du Viagra®, l'homme ne réagit pas sexuellement à une partenaire qu'il ne trouve plus désirable, cela augmentera le sentiment de frustration et de rejet de celle-ci.

• L'homme redevenu puissant mais faisant face à une femme toujours aussi réticente à la sexualité ne cherchera-t-il pas des compensations avec d'autres partenaires, augmentant ainsi les risques de confrontation avec sa femme et les risques de divorce?

• La femme castrante ou particulièrement exigeante à l'origine de l'impuissance de son mari ne se transformera pas en muse du jour au lendemain parce que ce dernier a décidé de prendre du Viagra®.

• Même si le Viagra® redonne la capacité érectile, il ne peut rien contre l'usure du couple, la monotonie des rapports sexuels, le laisser-aller physique… Il ne peut rien non plus contre les cheveux grisonnants, la baisse de la vue, le petit bedon… pouvant altérer l'image de soi. Il ne peut non plus régler un problème d'alcoolisme ou de toxicomanie souvent à la source de l'impuissance. Il n'élimine pas non plus le stress professionnel ou la fatigue due au surmenage.

L'arrivée du Viagra® permet de trouver des solutions mais soulève aussi de nombreuses questions et probablement de nouvelles difficultés. Ce n'est pas demain la veille que la profession de thérapeute sexuel disparaîtra. C'est pourquoi, malgré les améliorations provoquées par la prise de Viagra®, le couple qui consultait pour une difficulté sexuelle ne devrait pas abandonner la psychothérapie avant de s'assurer que les causes à l'origine de la consultation soient vraiment réglées.

13.6 Le Viagra® n'est qu'un début

Malgré les résultats concluants du Viagra®, un certain nombre d'hommes (20 à 60 %) ne réagissent pas au sildénafil ; ceux qui prennent des médicaments à base de nitrate peuvent en mourir ; certains, même à faible dose, ressentent des effets secondaires importants qui les amènent à cesser d'en prendre. C'est pourquoi la compagnie Pfizer et d'autres à sa suite travaillent à mettre au point des variantes du Viagra®. Quatre produits sont actuellement l'objet de recherches :

1. Le Vasomax® ou Z-Max® est probablement le prochain produit qui apparaîtra sur le marché d'ici deux ans. Le principe actif est la phentolamine qui bloque l'adrénaline locale, elle aussi responsable de la tension des fibres musculaires des corps caverneux. Le seul effet secondaire de la phentolamine serait la congestion nasale, ce qui en fait un produit très intéressant. Taux d'efficacité : 40 à 50 %. Temps de réaction : 20 à 30 minutes après l'absorption.

2. Le Spontane® est un produit dont la molécule active est l'apomorphine, laquelle agit sur les centres nerveux du cerveau responsables de l'érection. Il reste à régler les problèmes de dépendance à la morphine. Taux d'efficacité : 70 %. Temps de réaction : 10 à 15 minutes après l'absorption.

3. Le Topiglan® est un gel contenant de l'alprostadine pouvant être appliqué sur le pénis et éventuellement sur la vulve et le clitoris. Ce produit agit en améliorant la circulation sanguine et est sans effet secondaire. Taux d'efficacité : 60 à 80 %.

4. On s'en serait douté, la compagnie Pfizer travaille à la mise au point d'un Viagra® pour femmes qui augmenterait l'afflux sanguin à la vulve et au clitoris pour leur permettre de devenir plus sensibles et augmenterait la lubrification vaginale, facilitant ainsi la pénétration et le plaisir associé. En attendant, mesdames, retenez-vous d'utiliser la petite pilule bleue de votre partenaire car aucune étude sur la toxicité du produit n'a encore été faite pour les femmes. Ces études devront vérifier les effets secondaires potentiels non seulement sur la sexualité féminine mais aussi sur la grossesse, l'accouchement et l'allaitement. Tous les laboratoires de recherche veulent éviter une nouvelle « affaire Thalidomine® ». Patience ; le Viagra® pour femmes devrait être disponible sur le marché dans environ deux ans.

13.7 En conclusion

L'avenir semble donc prometteur pour les couples aux prises avec une difficulté érectile de l'homme. Toutes les recherches effectuées à date semblent confirmer que le Viagra® tiendra ses promesses. De plus, aucun symptôme de dépendance n'a été rapporté par les hommes qui prennent du Viagra® depuis déjà quelques années. Une fois amélioré le mécanisme physiologique de l'érection, les thérapeutes sexuels pourront mieux travailler sur les véritables causes des dysfonctions ou insatisfactions sexuelles : l'ignorance, le conditionnement sexuel négatif, la perception péjorative de soi et la dynamique conjugale destructrice.

Conclusion

Le plaisir de vivre

À l'instar de Zélinski, dans son livre *L'art de ne pas travailler* (dont je vous recommande fortement la lecture), je vous rappelle que nous sommes supposés vivre dans une société de loisirs, société où le travail devrait être diminué au minimum pour assurer notre survie physique et notre confort matériel. Le plaisir de vivre, quant à lui, devrait être élevé au maximum ; nous devrions rechercher toutes les occasions pour nous épanouir personnellement et en faire profiter nos proches. C'est le plaisir de vivre et de s'épanouir, et non le travail, qui devrait, à mon avis, être notre première source d'estime de soi. La sexualité fait partie de ce plaisir de vivre. J'espère que ce livre vous y aidera.

Je demande souvent à mes clients et clientes ce qu'ils feraient s'ils étaient assurés qu'il ne leur restait plus qu'un an à vivre, sans aucun problème de santé et sans diminution de leur pouvoir d'achat actuel. Les deux réponses qui reviennent le plus souvent : voyager et me rapprocher des gens que j'aime.

Et vous, quelles sont vos priorités de vie ?

Annexe

Saviez-vous que...

Voici une pile d'informations pêle-mêle que j'ai abondamment pigées dans les bulletins *Men's Confidential* de Rodale Press, *Sex Over Forty* de DKT International et autres sources. Vous trouverez l'adresse de ces deux éditeurs dans la médiagraphie si vous désirez vous y abonner. Ces bulletins véhiculent les résultats de toutes les recherches que font les différentes universités et les multiples laboratoires de recherches sur le sujet. J'ai pensé que ces informations pourraient vous intéresser.

Saviez-vous que...
• Plus de 60 % des hommes et 30 % des femmes âgés de 80 à 100 ans continuent d'avoir des relations sexuelles coïtales et ce, même si moins de 30 % sont encore mariés ? Plus de 70 % et 40 % de ces hommes et de ces femmes pratiquent la masturbation. Finalement, près de 85 % et 65 % de ces octogénaires et nonagénaires ont des rapports sexuels sans pénétration. Qui a dit que la sexualité appartenait aux jeunes ?

• Environ 75 % des hommes et des femmes ont des fantasmes sexuels lors de leurs relations. Cette fonction humaine permet d'augmenter l'excitation et ne signifie pas nécessairement qu'il existe un problème relationnel dans le couple.

• 80 % des hommes souffrant d'impuissance ne consultaient jamais avant l'arrivée du Viagra®.

• Très rarcs sont les couples qui se regardent lorsqu'ils orgasment. La plupart des couples n'ont d'ailleurs aucun contact visuel lors de leurs relations sexuelles. Pourtant, ce contact visuel, contact humain par excellence, intensifie votre excitation.

• Contrairement à l'homme qui a le goût de dormir après l'orgasme, la femme reste réceptive aux caresses. Et pour elle, c'est un signe d'amour. Toutefois, les caresses doivent être douces et pas nécessairement génitales. Même si elle est multiorgasmique, la majorité des femmes préfère garder tout simplement un contact physique avec leur partenaire pour lui permettre de redescendre tout doucement du 7e ciel.

• La majorité des médicaments (entre 200 et 400) prescrits pour la dépression, la haute pression, l'hypertrophie de la prostate et le diabète a des effets secondaires négatifs sur la libido, entre autres le fameux antidépresseur Prozac®. Si vous prenez régulièrement l'un ou l'autre de ces médicaments, lisez attentivement le feuillet (souvent illisible car écrit trop petit et parce que vous avez dépassé 45 ans) qui se trouve dans la boîte. Vous pouvez aussi vous informer auprès de votre médecin et lui demander de vous donner un substitut si le médicament possède de tels effets.

• Quoique l'abstinence sexuelle ne puisse être dommageable, la majorité des experts ne la recommande pas pour au moins trois raisons :

1. les éjaculations fréquentes stimulent la prostate et augmentent son immunité contre les infections ;

2. l'absence d'éjaculation augmente la quantité de spermato-zoïdes morts dans votre système ;

3. les éjaculations permettent d'éliminer les fluides infectés responsables des prostatites.

En fait, la majorité des urologues et des sexologues recommande deux éjaculations par semaine, peu importe le moyen utilisé. Si vous ressentez du plaisir, c'est que c'est probablement bon pour vous.

• Il existerait des herbes facilitant l'érection telles que le Gingko biloba et le Muira puama, mais leurs mécanismes d'action restent à démontrer et leurs effets secondaires à évaluer.

• Un homme sur quatre souffrira de prostatite au moins une fois dans sa vie.

• La baisse de production de testostérone avec l'âge se manifeste par une baisse de libido, une baisse générale d'énergie, une chute de l'endurance et/ou de la force, la dépression et des érections flasques. Si vous ressentez trois de ces symptômes, faites évaluer votre taux de testostérone au plus tôt.

• Des recherches démontrent que de faibles doses de Prozac®, Paxil® ou Zoloft®, trois antidépresseurs, aideraient les éjaculateurs pré-coces à mieux contrôler leurs éjaculations.

• Environ 10 % des hommes ont de la difficulté à uriner dans les toilettes publiques, à moins que celles-ci ne soient désertes. Les urologues nomment ce symptôme, parurésie. La cause principale : la tension et le malaise créés par la présence d'autrui. Le remède : apprendre à relaxer par des exercices de désensibilisation.

• 75 % des hommes voulant retarder leur éjaculation utilisent des techniques de diversion : imaginer sa partenaire se transformer en monstre hideux, chanter l'hymne national, voir des animaux morts et éventrés, serrer les dents, mettre de la glace sur le pénis, se mordre les lèvres, la langue ou l'intérieur des joues, penser à sa belle-mère... Toutes ces diversions ne marchent pas et peuvent même empirer la situation en abaissant le seuil d'excitation nécessaire au réflexe orgasmique. Pourquoi essayer de diminuer le plaisir ? L'éjaculateur rapide a beaucoup plus de chances d'améliorer son contrôle en expérimentant des plaisirs variés et fréquents par la masturbation et le coït. Il doit apprendre à élever le seuil d'excitation nécessaire à l'éjaculation. L'éjaculation rapide est une caractéristique sexuelle facilement modifiable. Consultez.

• La testostérone contrôle non seulement la libido de la femme mais aussi sa capacité orgasmique. Ruth S. Jacobowitz, dans son livre *150 Most-Asked Questions About Midlife Sex, Love and Intimacy,* rapporte que l'administration de testostérone et d'oestrogènes à la femme ménopausée augmente son énergie générale, son intérêt pour la sexualité, son désir d'être touchée ainsi que l'intensité et la fréquence de ses orgasmes, même chez celle qui n'avait que peu d'intérêt pour la sexualité avant sa ménopause. Les hommes auraient donc avantage à encourager leurs partenaires à consulter leur gynécologue à ce sujet.

• N'oubliez pas la puissance érogène des pieds de votre partenaire. Il semblerait même que l'orteil du milieu serait connecté avec les organes génitaux chez certaines femmes. Faites-lui amoureusement un massage des pieds et elle vous récompensera certainement.

• Selon Jonathan Bernstein de la Faculté de Médecine de l'Université de Cincinnati, 12 % des femmes seraient allergiques au sperme. Les symptômes vont d'une démangeaison à des irritations vaginales en passant par des difficultés respiratoires, des nausées et même des évanouissements. L'explication serait une hypersensibilité du système immunitaire aux protéines communément trouvées dans le sperme. Le remède, une consultation auprès d'un allergiste pour trouver le produit désensibilisant.

• Chaque personne possèderait son horloge biologique sexuelle : certaines sont plus excitables le matin ; d'autres, en fin de soirée ; d'autres, en début d'après-midi. Certaines femmes sont plus réceptives au moment de l'ovulation ; d'autres, avant et après les menstruations. D'où l'importance de bien se connaître.

• 18 % des personnes qui perdent leur odorat développent une dysfonction sexuelle.

• Le sperme ne contient que 5 % de spermatozoïdes ; le reste est constitué du liquide produit par la prostate (92 %) et par les vésicules séminales (2 à 3 %). Ce liquide consiste surtout en protéines, acide citrique, fructose, sodium et chlorure.

• La respiration yogique permet de diminuer de 50 % les bouffées de chaleur des femmes ménopausées.

• La Bible, contrairement à ce que veulent nous faire croire les représentants religieux, ne dit absolument rien contre la masturbation, l'avortement, le contrôle des naissances, la sexualité orale et beaucoup d'autres pratiques sexuelles. Elle nous enseigne de ne pas exploiter les autres et présente le corps et le sexe comme de bonnes choses. Aimez-vous les uns les autres !

• Le taux de mortalité masculine étant de plus en plus élevé au fur et à mesure que l'homme vieillit, le rapport homme-femme est de un pour deux à l'âge de 75 ans.

• Les statistiques du National Center for Health des États-Unis démontrent que les couples formés par un homme plus âgé et une femme plus jeune sont particulièrement stables. Ce sont ceux dont la différence d'âge est la plus élevée qui ont le taux de divorce le plus bas. Serait-ce parce que la femme y trouve la sécurité et la tendresse dont elle a besoin et l'homme l'excitation et l'énergie nécessaires à l'entretien de sa sexualité?

• Durant leur sommeil, les hommes ont des érections en moyenne toutes les 90 minutes et les femmes ont régulièrement des lubrifications. Ces réactions ont généralement lieu au moment des rêves, même si ceux-ci n'ont pas de contenu érotique. L'absence d'érections ou de lubrifications nocturnes est un très mauvais signe qui devrait vous amener à consulter.

• En vieillissant, les femmes ont de plus en plus d'orgasmes nocturnes, contrairement aux hommes. Seriez-vous surpris si je vous disais qu'au moment de ces orgasmes, les femmes rêvent davantage à des scènes romantiques et sensuelles avec une personne connue alors que les hommes rêvent plus souvent à des relations sexuelles explicites avec une étrangère?

• Des recherches de l'Institut Henry Ford rapportent que le cerveau de l'homme rétrécit plus vite que celui des femmes. Les zones qui dégénèrent le plus rapidement sont celles reliées à la pensée, à la planification et à la mémoire. Les autres parties du cerveau vieillissent de façon parallèle chez les deux sexes.

• Les antidépresseurs tels Prozac®, Paxil®, et Zoloft® ont un effet paradoxal : ils diminuent la capacité orgasmique de plusieurs hommes, mais retardent l'orgasme chez les éjaculateurs précoces.

Notes

Introduction : **La raison de ce livre**

1. Tous les prénoms utilisés dans ce livre sont évidemment fictifs, mais non les faits relatés qui, pour la plupart, sont tirés de ma pratique professionnelle.
2. On désigne sous l'expression «Baby Boomers» la génération des personnes nées entre 1945 et 1955. Le taux de natalité était alors, au Québec, d'environ sept enfants par famille.
3. En l'occurrence Jean-Pierre Élias de la maison Agence de Distribution Populaire.
4. Libido : créé par Freud, le terme libido définit l'énergie psychique sous-tendant les pulsions de vie et spécialement les pulsions sexuelles (Petit Robert). À noter que ce terme est féminin.
5. À distinguer des éducateurs sexologues qui, eux, n'ont pas reçu de formation à la thérapie.

Première partie :
Les changements physiologiques et leurs répercussions psychologiques

Chapitre 1 : **La sexualité de l'homme de 40 ans et plus**

1. J'ai l'habitude, lors des entrevues initiales, de recevoir chacun des partenaires seul à seul afin de colliger le maximum d'informations sans l'interférence de l'autre et, ensuite, de recevoir le couple pour confronter leurs différences de perceptions.
2. Néologisme.
3. Les études de Kinsey et ses collaborateurs ont démontré que 75 % des Américains éjaculaient moins de deux minutes après la pénétration. Il semble en être de même dans d'autres sociétés humaines, sauf exceptions. Des études plus récentes démontrent toutefois que la durée de pénétration a tendance à augmenter, dépassant même cinq minutes. L'homme moderne prendrait-il plus de plaisir à la sexualité que son grand-père ?
4. Contrairement à la femme, l'homme n'a pas besoin d'apprendre à orgasmer. D'ailleurs, l'observation du comportement sexuel des mâles de toutes les espèces animales nous amène à soulever l'hypothèse d'un instinct orgasmique chez ceux-ci.

5. L'adolescent moyen orgasme trois fois par semaine soit par la masturbation, soit par la relation sexuelle ou les rêves érotiques.

6. Lors d'un examen urologique, au moment du toucher de la prostate, certains hommes vont laisser couler involontairement une quantité de sperme équivalente à un éjaculat, sans qu'ils aient pour autant ressenti quelque plaisir que ce soit, au contraire.

7. Voir à ce sujet le livre de Hartman, William et Marylin Fithian, *Any Man Can. The Multiple Orgasmic Technique for Every Loving Man*, St-Martin's Press, New York, 1984, 177 p.

Chapitre 3 : **La sexualité de la femme de 40 ans et plus**

1. Plusieurs romans et films de l'époque ont été écrits et réalisés autour du thème de «La Belle et la Bête». Le film «King Kong», qui connut un immense succès, en est un très bel exemple.

2. Néologisme, pour signifier l'action de s'introduire, comme dans le mot anglais *intrusiveness*.

3. Ce qui est cinq ans de plus que nos mères et dix ans de plus que nos arrière-grands-mères; ce report de la ménopause est principalement dû à une meilleure hygiène, une meilleure alimentation et de meilleures conditions de vie en général.

4. La testostérone est un anabolisant qui stimule l'organisme et entraîne un accroissement du système musculaire. La progestérone est un catabolisant qui facilite la dégradation des composés organiques tout en accroissant le dégagement d'énergie et de chaleur. Les deux ont un rôle antagoniste. Plus le taux de progestérone est élevé, moins l'effet de la testostérone se fait sentir. Et vice versa. Ce qui pourrait expliquer que la sexualité masculine se rapproche physiologiquement de la sexualité féminine au fur et à mesure que son taux de testostérone diminue en vieillissant, laissant alors plus d'influence à la faible quantité de progestérone que son corps produit.

5. Le raphé péno-scrotal est une ligne légèrement brunâtre qui court le long de la face postérieure du pénis, du frein du pénis jusqu'au périnée. Le raphé péno-scrotal est particulièrement sensible à la caresse.

6. De «myo», muscle et «tonie», tonus.

7. De «myo», muscle et «clonie», convulsions ou contractions.

8. Dildo: vibrateur ayant plus ou moins la forme d'un pénis.

9. Godemiché: littéralement «fais-moi plaisir», qui se présente aussi sous la forme d'un phallus artificiel destiné au plaisir.

10. Vous trouverez dans n'importe quelle revue érotique des coupons pour commander les objets en questions ou pour obtenir des catalogues les décrivant.

11. Par exemple, la Kama Sutra Oil Of Love (une huile parfumée qui a bon goût et qui donne une sensation de chaleur), la crème Albolene (qui est sans odeur, ne s'assèche pas et peut être utilisée pour d'autres raisons que sexuelles) et le produit appelé Lubrin, spécialement conçu comme lubrifiant vaginal (sans saveur, sans odeur et sans couleur) que vous insérez dans votre vagin et qui se dissout cinq minutes plus tard; il est facile à enlever et ne tache pas vos draps.

Chapitre 4: **L'hormonothérapie de remplacement**

1. Rosenthal, Saul H., *Sex Over Forty*, Putman Book, New York, 1987, pp. 37-38.
2. Bechtel, Stefan, *The Practical Encyclopedia of Sex and Health*, pp. 161-164.
3. Crisafi, Daniel, *Les superaliments*, Éd. Chenelière/McGraw-Hill, 1998.

Deuxième partie :
Devenir meilleur(e) amant(e) après 40 ans

Chapitre 5: **S'aider l'un l'autre**

1. Littéralement : bâton de plaisir. Manette utilisée pour certains jeux d'ordinateur.
2. En psychologie, la loi du paradoxe dit que l'on obtient souvent le contraire de ce que l'on veut. Par exemple, plus vous faites attention, plus vous risquez de faire des gaffes ; plus vous vous efforcez d'avoir des érections, moins vous y parvenez. Une expérience célèbre prouvant la force de cette loi du paradoxe a permis de traiter des insomniaques chroniques en leur interdisant de dormir. Un autre paradoxe célèbre : « Je suis un menteur » : un menteur ne peut dire qu'il est un menteur car il dit alors la vérité ; s'il dit la vérité, il n'est donc pas menteur, d'où le paradoxe.
3. Tous les hommes en bonne santé ont des érections au moment de leurs rêves, érotiques ou non, et plusieurs fois durant la nuit, à cause d'un frottement par exemple. Il le sont aussi souvent au réveil. Ces érections involontaires ne se produisent pas lors de complications physiques.
4. Iatrogène : provoqué par une intervention médicale ou la médication.
5. Nos différentes études statistiques nous révèlent qu'à peine 2 à 5 % des femmes le font régulièrement.
6. Aphrodisiaque : propre à exciter le désir sexuel et à faciliter l'acte sexuel (Petit Robert).
7. Le clitoris est un pénis miniature possédant les mêmes structures (gland, capuchon, corps du clitoris) et les mêmes réactions ; il vient lui aussi en érection et est, généralement, très sensible après l'orgasme.
8. Ladas, Alice Kahn, Beverly Whipple et John D. Perry, *Le poing G et les plus récentes découvertes sur la sexualité*, Ed. Robert Laffont, Coll. Marabout, Paris, 1982.

Chapitre 6: **Le muscle de l'amour**

1. Par exemple, énurésie prolongée chez le jeune enfant ou perte de quelques gouttes d'urine lors d'un fou-rire.
2. Expression créée par Masters et Johnson pour désigner le tiers externe du vagin, là où se manifestent le plus fortement les contractions de l'orgasme.
3. Voir Hartman, William et Marylin Fithian, *Any Man Can. The Multiple Orgasmic Technique for Every Loving Man,* St-Martin's Press, New York, 1984, 177 p.
4. À notre avis, le jour où les cours d'éducation physique et les Centres de mise en forme (Nautilus et autres) intégreront ces exercices dans leur enseignement, on pourra vraiment parler d'une société permissive face à la sexualité, une société qui se préoccupe du bonheur sexuel de ses citoyens.

Chapitre 7 : **Entretien personnel de votre sexualité**

1. Contrairement à la croyance populaire, ces érections ne sont pas dues à la pression exercée sur la prostate et les organes génitaux par une vessie pleine ; elles sont dues au fait que votre besoin d'uriner vous a réveillé au moment d'une phase de sommeil profond, lequel s'accompagne d'érections et de lubrifications, même si les rêves n'ont pas de contenu érotique.

2. Le shiatsu est un type de massage basé sur les points d'acupuncture et s'effectue par des pressions des doigts et des paumes sur les points et méridiens énergétiques. Le massage shiatsu est généralement disponible dans tous les centres de santé ou de massothérapie. Le massage du périnée n'y est évidemment pas disponible, mais vous saurez, si vous allez y recevoir un massage, quel type de pression exercer.

3. Les sages-femmes vous confirmeront que le massage du périnée est excellent pour accélérer le processus de l'accouchement.

4. L'utilisation de « surrogate » ou partenaire sexuel substitut fut très à la mode au cours des années 65-85, surtout auprès des thérapeutes de la côte ouest américaine. Le travail de la ou du surrogate consistait essentiellement à créer un climat de détente érotique permettant au client de se focaliser sur ses sensations sans se préoccuper du partenaire. Cette pratique a perdu de sa popularité à cause, entre autres, d'une question d'éthique professionnelle et des complications posées par le transfert positif effectué par les clients sur leur surrogate.

5. La bicyclette est un excellent exercice pour perdre rapidement du poids. Une étude faite à l'Université Tufts de Medford, Massachussets, démontra qu'après douze semaines, les cyclistes participant à la recherche avait perdu dix-neuf livres de gras et gagné trois livres de muscles, sans aucune diète particulière. Par contre, la compression des organes génitaux sur le siège de la bicyclette, étant donné la position penchée vers l'avant, peut provoquer un ralentissement de la circulation sanguine et causer des difficultés érectiles et urinaires chez les cyclistes qui font plus de dix heures de vélo par semaine.

6. Voici, à titre d'exemples, une liste non exhaustive de différents produits auxquels on a accordé une valeur aphrodisiaque : mandragore, cantharide, ginseng, spanish fly, ellébore, phosphore, graisse d'oie, testicules de sanglier, corne de rhinocéros, pénis de caribou, sang de chauve-souris mêlé au lait de guenon, pomme de pin, racine de valériane, bulbe de tulipe, salamandre séchée, testicules de hérisson, crocodile salé, sang menstruel, graisse de chameau, sang d'un criminel exécuté, coeur d'hirondelle. Presque tous les produits alimentaires ayant une ressemblance quelconque avec les organes génitaux (carottes, concombres, huîtres, céleri, oeufs, bananes) ; de nombreuses épices (fenouil, anis, thym, laurier, menthe poivrée, canelle) ; l'huile de carvi (appelée aussi « huile de Vénus ») ; tous les fruits de mer, l'ail, les eaux sulfureuses… L'histoire humaine fourmille de fausses croyances populaires associées à la jouissance amoureuse ; la recherche d'aphrodisiaques a toujours été aussi vaine que la recherche de la fontaine de Jouvence ou l'élixir de jeunesse.

7. Priapisme : érection persistante, apparaissant sans excitation sexuelle (Petit Robert). Risque de scléroser les tissus péniens à cause du blocage de la circulation sanguine

et ainsi de provoquer une impuissance permanente. Les principales causes du priapisme sont l'utilisation illégale de drogues ou médicaments, des accidents aux organes génitaux, des problèmes circulatoires provoqués par l'anémie ou la leucémie et des dommages au cerveau…

8. Consultez à ce sujet: Crisafi, Daniel, *Superaliments*, Éd. Chenelière/McGraw-Hill.

Chapitre 8 : **La variété sexuelle**

1. N'ayez crainte, il n'est pas vrai que l'on puisse « rester pris » en faisant l'amour dans l'eau. Tout le monde connaît quelqu'un qui connaît quelqu'un qui connaît quelqu'un qui… est resté pris, mais cela est une impossibilité physiologique.

2. Le corps constitue une immense zone érogène, mais chaque individu réagit davantage à certaines. À vous de trouver les zones préférées de votre partenaire. Par contre, la plupart des hommes réagiront fortement à un léger effleurage de l'intérieur des cuisses, effleurage allant vers les organes génitaux. Ce mouvement provoque le réflexe crémastérien, soit une contraction du muscle qui soutient ses testicules; si la caresse est bien appliquée, vous pourrez observer un mouvement de ses testicules.

3. Schéma corporel : perception consciente du corps basé sur les sensations proprioceptives (de l'intérieur du corps) plutôt que sur l'image corporelle, telle que vue dans un miroir.

4. Vous trouverez dans le livre de Kenneth Ray Stubbs et Louise-Andrée Saulnier, *Massage sensuel pour couples*, un chapitre décrivant une excellente séquence d'un massage génital.

Troisième partie :
Surmonter les difficultés

Chapitre 9 : **L'érection**

1. Le cerveau primitif, situé à l'arrière, contrôle les fonctions neurovégétatives alors que le cerveau antérieur, situé dans les lobes frontaux contrôle les fonctions de la pensée et de la conscience.

2. Le besoin réfère à une exigence née de la nature ou de la vie sociale alors que le désir fait référence à la prise de conscience d'un besoin ou d'une tendance. Les désirs naissent des besoins (Petit Robert). On pourrait aussi dire que le besoin représente la dimension physiologique et le désir, la dimension psychologique.

3. Attentes qui sont plus souvent imaginaires que réelles.

Chapitre 10 : **La sexualité et votre santé après 40 ans**

1. La maladie de la Peyronie se manifeste par une courbe prononcée dans la structure du pénis causée par une plaque dans les tissus fibreux. La courbe peut parfois empêcher la pénétration ou la rendre douloureuse. C'est une maladie qui se développe souvent avec l'âge.

2. Rosenthal, Saul H., *Sex Over Forty*, p. 154.
3. Anxiolytique : propre à combattre l'angoisse ou l'anxiété. (Petit Robert)
4. Les principaux symptômes sont, d'après la Société canadienne du cancer : mictions fréquentes, sang dans les urines, mictions et éjaculations douloureuses, douleurs lombaires, incontinence urinaire, douleurs dans le bassin et le haut des cuisses.
5. Une recherche faite par le Conseil d'évaluation des techniques de la santé du Québec et rapportée par le journal *Le Soleil* en décembre 95 affirme que sur 1000 hommes qui subissent une ablation de la prostate (avec des effets négatifs majeurs sur leur sexualité), 150 mourront malgré tout de leur cancer alors qu'on ne constatera une amélioration que chez 10 à 70 d'entre eux. Opérés ou non, entre 780 et 840 hommes seraient morts d'une autre cause que le cancer. Le Conseil conclut que les effets favorables sont trop incertains et trop faibles pour justifier les effets indésirables et les coûts astronomiques d'un dépistage systématique (entre 500 et 700 millions $) pour des résultats qui n'apparaîtraient que 10 à 15 ans plus tard.
6. Endométriose : affection caractérisée par le développement de tumeurs en dehors de l'utérus. (Larousse)
7. Myome : tumeur constituée par des fibres musculaires, appelée couramment, mais improprement, fibrome. (Petit Robert)

Chapitre 11 : **Sexualité et cancer**
1. Note au lecteur. Ce chapitre constitue la reprise d'une conférence que j'ai présentée lors d'un colloque de la Fondation québécoise du cancer au début des années 90. Les références n'ont toutefois pas été remises à jour ; il se peut donc que quelques-unes des données énumérées ici puissent être dépassées. Vous pouvez être tenu au courant des activités de la Fondation en téléphonant au (800) 363-0063 ou en écrivant au 1675, Chemin Ste-Foy, Québec, G1S 2P7. Le vidéo de cette conférence y est disponible.
2. Le nerf honteux, ou bloc honteux, est le nerf qui partant des vertèbres sacrées vient innerver les organes génitaux. Un exemple de reliquat de l'époque victorienne.

Chapitre 12 : **La thérapie de l'impuissance**
1. Auparavant appelée frigidité.
2. Ce dossier est confidentiel : seulement vous-même, votre professionnel de la santé et les autres professionnels que vous désignerez par écrit auront accès à votre dossier.
3. Le diagnostic différentiel permet de déterminer à quelle catégorie nosologique appartient la dysfonction.
4. C'est un système de valvules qui contrôlent l'entrée et la sortie du sang dans votre pénis. Vos valvules d'entrée peuvent être en bon état de fonctionnement et permettre vos érections mais si vos valvules de sortie sont défectueuses, vous ne pourrez conserver vos érections.
5. Vacuum : espèce de pompe emprisonnant le pénis et aspirant le sang dans celui-ci.
6. Étrangleur : anneau placé à la base du pénis pour empêcher le sang de refluer hors du pénis.

Chapitre 13 : **Le Viagra®**

1. Les ventes escomptées pour la première année par la compagnie Pfizer sont de un milliard de dollars américains.

2. Le lecteur intéressé à en savoir davantage sur le mode d'action du Viagra® pourra se référer aux numéros des mois de juin, juillet et octobre 98 du mensuel *Sex Over Forty* ou au livre du docteur David Elia, *Viagra® Mode d'emploi*, aux éditions Robert Laffont (Note de l'éditeur).

Liste des figures

Médiagraphie

1. Bibliographie scientifique

Badeau, Denise & André Bergeron, *Bien vieillir... en santé sexuelle*, Coll. Psycho-Santé, Éd. du Méridien, 1997, 258 p.

Bakos, Susan C., *Sexational Secrets*, St-Martin's Press Inc., 1996.

Bechtel, Stephan, *The Practical Encyclopedia of Sex and Health*, Rodale Press, Pennsylvania, 1993, 366 p.

Berkowitz, Bob, *His Secret Life: Male Sexual Fantasies*, Pocket Books, 1998.

Brecher, Edward, *Love, Sex and Aging*, New York, Little, Brown & Co., 1984.

Butler, Robert N. & Myrna I. Lewis, *Love and Sex after Sixty,* Harper and Row, 1988.

Cachelou, Roland, *Tout savoir sur cancer et sexualité*, Éd. Pierre-Marcel Favre, Lausanne, 1986, 159 p.

Crisafi, Daniel, *Les superaliments*, Éd. Cheneelière/McGraw-Hill, Montréal, 1998.

Cyr, Josianne, Nutrition et problèmes de prostate, Journal *Le Soleil*, 11 avril 1999.

Elia, David, *Viagra®, Mode d'emploi, Tout ce qu'il faut savoir sur Viagra® en 270 questions*, Éd. Robert Laffont, Paris, 1998, 210 p.

Sheehy, Gail, *Passage*, Éd. Mortagne, Montréal, 1983.

Greenberger, Monroe & Siegel, Mary Ellen, *What Every Man Should Know About His Prostate*, New York, Walker & Co., 1983.

Hite, Shere, *Le rapport Hite sur les hommes*, Éd. Robert Laffont, Paris, 1981, 847 p.

Jacobowitz, Ruth S., *150 Most-Asked Questions About Midlife Sex, Love and Intimacy*, Hearst Press, 1996.

Kaltenbach, Don, *Prostate Cancer : A Survivor's Guide*, Seneca House Press, 1996.

Kaplan, Dr Helen Singer, *La nouvelle thérapie sexuelle*, Éd. Buchet et Chastel, Paris, 1979.

Katchadourian & Lunde, *La sexualité humaine, Principes fondamentaux*, Les éditions HRW, Montréal, 1982.

Klein, Marty, *Vos secrets sexuels : quand les garder, quand et comment les révéler*, Éd. Guy St-Jean, Laval, 1992, 287 p.

Ladas, Alice Kahn, Beverly Whipple et John D. Perry, *Le poing G et les plus récentes découvertes sur la sexualité*, Éd. Robert Laffont, Coll. Marabout, Paris, 1982.

Lavoie, Daniel, La nutrition : facteur de prévention contre le cancer de la prostate, *Diététique en action*, automne 1998.

Levins, Hoag, *American Sex Machines: The Hidden History of Sex at the U.S. Patent Office,* Adams Media Corporation, 1996.

Lieberman, Laurence, *The Sexual Pharmacy : The Complete Guide to Drugs with Sexual Side Effects*, New American Library, 1988. Présentation des effets secondaires de plus de 200 médicaments.

Masters, William H., Virginia E. Johnson & Robert C. Kolodny, *Human Sexuality*, Scott, Foresman, 1988.

Masters, William H., Virginia E. Johnson & Robert C. Kolodny, *Amour et sexualité*, InterÉdition, Paris, 1987. Le plus accessible et le plus concret des livres de Masters et Johnson.

Masters, William H., Virginia E. Johnson & Robert C. Kolodny, *Les perspectives sexuelles*, Medsi, Paris, 1980.

Masters, William H., Virginia E. Johnson & Robert C. Kolodny, *L'union par le plaisir*, Éd. Robert Laffont, Paris, 1975.

Morganstern, Steven, *The Prostate Source Book*, NTC, 1998.

Pasini, Willy, *Sexualité de la femme âgée, Pathologie génitale de la femme du troisième âge*, S. F. G. Masson, Paris, 1979.

Ravinel, Hubert de, *Vieillir au masculin*, Éd. de l'Homme, Montréal, 1997, 167 p.

Rosenthal, Saul H., *Sex Over Forty,* Putman Book, New York, 1987, 269 p.

Schofer, Leslie R., *Prime Time : Sexual Health for Men over Fifty*, Holt, Rinehart & Winston, 1984.

Schwartz, Robert et Leah, *The One Hour Orgasm*, Raincoast, 1995.

Sheehy, Gail, *Les passages de la vie*, Éd. Mortagne, Montréal, 1993.

Sieff, Jean-Loup, *Demain le temps sera plus vieux*, Éd. Contre Jour, Paris, 1990, 286 p.

Starr, Bernard & Weiner, Marcella, *The Starr Weiner Report on Sex and Sexuality in the Mature Years*, McGraw-Hill, New York, 1981.

Zelinski, Ernie, *L'art de ne pas travailler, Petit traité d'oisiveté active à l'usage des surmenés, des retraités et des sans-emploi*, Éd. d'Organisation, Paris, 1998, 252 p.

2. Bulletins mensuels d'information (Newsletter)

Sex Over Forty, DKT International. Abonnement : 72 $ US à l'adresse suivante : P.O Box 1600, Chapel Hill, NC 27515, U.S.A. ou au (919) 644-1616.

Men's Confidential, The Sex and Health Newsletter for Men, Rodale Press, Iowa, U.S.A. Abonnement : 59,92 $ cdn à l'adresse suivante : 33E Minor Street, Emmaus, PA 18098, U.S.A.

3. Filmographie didactique

Focus International, *Love and Aging*, 90 min., 1160 East Jericho Turnpike, Huntington, NY 11743, 1(800) 843-0305.

Fondation québécoise du cancer, *Sexualité et cancer*, Conférence de Yvon Dallaire, Québec, 1991, 60 min.

Fondation québécoise du cancer, *Cancer de la prostate, vie de couple et sexualité*, Conférence de Carmen Bastille, Québec, 60 min.

Foundation for Informed Medical Decision Making, *Treatment Choices for Prostate Cancer*, 60 m (603) 650-1180 (men's april 97).

Sinclair Institute, Better Sex Video Series, Dept. 8PB54, Chapet Hill, NC 27515. Leur filmographie comprend les titres suivants :
Advanced Sexual Technics
A Man's Guide to Stronger Erections
Advanced Oral Sex Technics
Becoming Orgasmic
Better Sex Technics
Discovering Extraordinary Sex
Erotic Guide to Oral Sex
Getting Creative With Sex
Keeping Sex Extraordinary
Makin Sex Fun
Sexual Positions For Lovers
The Couple's Guide to Great Sex Over Forty, Vol. 1 & 2
The Erotic Guide to Sexual Fantasies For Lovers.

Videos for Lovers, Dept. T512, PO Box 4155, Huntington Station, NY, 11750-0260. Trois vidéos sur la sexualité du couple :
Vol 1. *Jim and Patty*
Vol 2. *Rod and Linda*
Vol 3. *Annie and Eric*

4. Filmographie érotique pour femmes

Barish, Keith, *9 1/2 semaines*, avec Mickey Roarke et Kim Basinger, 1986.

Campion, Jane, *La leçon de piano*, avec Holly Hunter et Harvey Keitel, 1993.

Demers, Claire, *Noir et blanc*, 1987.

King, Zalman, *Les escarpins rouges*, avec David Duchovny et Brigitte Bako, 1992.

Royalle Candida, *The Gift*, Femme Productions.

Royalle Candida, *Three Daughters*, Femme Productions.

Treut, Monika, *Séduction,* 1984.

Waller, Robert J., *Sur la route de Madison*, avec Clint Eastwood et Meryl Streep.

5. Livres érotiques illustrés

Barbach, Lonnie, *Erotic Interludes : Tale Told by Women*, New York, Doubleday, 1986.

Burton, Richard & F. F. Arbuthnot, *The Illustrated Kama Sutra, Anaga-Ranga and Perfumed Garden : The Classic Eastern Love Texts*, Park Street Press, 1987. Abondamment illustré.

Comfort, Alex, *Le Koka Shastra. Textes érotiques Indiens basé sur le Kama Sutra*. Éd. Gremese, Rome, 1998, 128 p.

Comfort, Alex, *La joie du sexe*, Éd. J. C. Lattès, Paris, 1983.

Stubbs, Kenneth Ray, *Le guide des amants sensuels*, Éd. Guy St-Jean, Laval, 1986, 186 p.

Stubbs, Kenneth Ray, *Massages intimes pour couples*, Éd. Guy St-Jean, Laval, 1988, 150 p.

Vatsyayana, *Le Kama~Sutra, Figures érotiques de l'art hindou*, traduit par E. Lamairesse, Productions Liber SA, Genève, 1980.

Westheimer, Ruth, *Guide for Married Lovers*, Warner Books, NY, 1986.

Westheimer, Ruth, *Guide to Good Sex*, NY, Warner Books, 1983.

6. Magazines sur la sexualité

Body Politic. Une revue britannique sur les attitudes sexuelles, la politique et la passion, présentée de façon amusante et spirituelle. Site Internet : the.arc.co.uk/body/

Corps et âme. Louis Martin éditeur. Une revue populaire écrite par des psychologues et des sexologues, disponible dans les kiosques à journaux ou par abonnement au (888) 989-1119. Coût de l'abonnement annuel (8 numéros) : 34,11 $ (taxes incluses).

Libido. Une revue de nouvelles, critiques, fictions, photographies, poésies et humour sur l'érotisme. Site Internet : www.sensual-source.com/libido/

7. Romans érotiques pour femmes

Ces romans érotiques ont été écrits par des femmes et rejoignent ainsi davantage l'imaginaire érotique féminin.

Boisjoli, Charlotte, *Jacynthe*, Éd. de l'Hexagone B.D., Paris.

Dandurand, Anne, *La salle d'attente*, Éd. XYZ, Montréal, 1994, 68 p.

Deforges, Régine, *Ces sublimes objets du désir*, Éd. Stock, Paris, 1998.

Gulliver, Lili, *L'univers Gulliver I. Paris*, Éd. VLB, 1990.

Gulliver, Lili, *L'univers Gulliver II. La Grèce, Adonis de service,* Éd. VLB, 1991.

Gulliver, Lili, *L'univers Gulliver III. Bangkok, chaud et humide*, Éd. VLB, 1993.

Hélène, Geneviève, *Le tranchant des lèvres*, Éd. Jacqueline Chambon, Nîmes, 1990, 125 p.

Hélène, Geneviève, *Une scène de dévoration*, Éd. Jacqueline Chambon, Nîmes, 1992, 64 p.

Herrgott, Elizabeth, *Le Dieu et l'amant d'échec*, Éd. Jacqueline Chambon, Nîmes, 1991, 104 p.

Herrgott, Elizabeth, *Recettes coquines et libertines*, Éd. Jacqueline Chambon, Nîmes, 1992, 136 p.

Herrgott, Elizabeth, *Les maîtres queux*, Nîmes, Éd. Jacqueline Chambon, 1993, 136 p.

Jelinek, Elfriede, *Lust*, Éd. Seuil, Paris, 1996, 282 p.

Jong, Erica, *Complexe d'Icare*, collection J'ai lu, Paris, 1988.

Jong, Erica, *Fanny ou la véridique histoire des aventures de Fanny Troussecotes-Jones*, Éd. Acropole, 1980, 580 p.

Létourneau, Anne, *Shéhérazade*, Éd. Petits Anges, Montréal, 1993.

Nin, Anais, *Vénus érotica,* Éd. LGF, Paris, 1981, 378 p.

Pagé, Marie, *Petites douceurs*, Éd. Balzac, Montréal, 1998, 110 p.

Reage Pauline, *Histoire d'O*, Éd. Pauvert, Paris, 1972, 250 p.

Rey, Françoise, *La femme de papier*, Éd. Blanche, Paris, 1997, 224 p.

Reyes, Alina, *Derrière la porte*, Éd. Pocket, Paris, 1996, 222 p.

Reyes, Alina, *Le Boucher*, Éd. Seuil, Paris, 1995, 89 p.

8. Sites internet

Il existe sur Internet un nombre innombrable de sites pornographiques, mais aussi quelques sites sérieux sur la sexualité. Voici une liste que j'ai voulu la plus exhaustive possible.

www.askisadora.com
Un site questions-réponses animé par l'auteure Isadora Aliman.

www.bettersex.com
Liste de cassettes éducatives pour couples par the Sinclair Intitute.

www.canadian-prostate.com
Site du Canadian Prostate Health Council. S'adresse surtout aux médecins spécialistes.

www.comed.com/prostate/
Site d'information pour les hommes atteints du cancer de la prostate.

www.drruth.com
Conseils et réponses par le docteur Ruth Westheimer, animatrice d'une émission de télévision américaine sur la sexualité.

www.indiana.edu/~kinsey/
Un site animé par le fameux Kinsey Institute sur ses activités de recherches, sa librairie et ses collections spéciales.

www.jagunet.com/dgotlib/meanstreet.htm
Un site sur les ressources en éducation sexuelle par David A.
Gotlib, md.

www.mouthorgan.com
Un site présentant des articles sur la sensualité et la sexualité.

www.multimana.com/canal40ans
Groupe de discussion pour les 40 ans et plus.

www.onlinepsych.com/treat/mh.htm/
Des douzaines de liens classés par thèmes: vieillissement, dépression, problèmes sexuels, schizophrénie… Tests de personnalité.

www.pierre.soucis@tr.egocable.ca
Conseils et réponses du sexologue Pierre Soucis.

www.prostate.com/frames/men
Site d'information sur la prostate et autres aspects de la santé des hommes.

www.prostate.org/
Page d'accueil et groupe de discussion.

www.sex-help.com
Liste de vidéos éducatifs disponibles pour les adultes.

www.testosteronesource.com
Site d'information sur la testostérone de SmithKline Beecham, compagnie qui commercialise les timbres (patch) de testostérone.

www.webseduction.com
La plus importante communauté virtuelle francophone sur les relations amoureuses. Collaboration Sympatico et diverses ressources.

www.sexualitydata.com
Un site sur les ressources en sexualité par the Sinclair Institute.

www.unites.uqam.ca/~dsexo/elysa.htm
Un site questions-réponses animé par l'Association québécoise des sexologues.

weber.u.washington.edu/~humsex/
Un site animé par the Seattle Community Organization vous donnant aussi accès à la Sexuality Library des États-Unis.

www.viaverde.com/sex/mast.htm
Une page de liens vers des sites sur la masturbation.

www.webcom.com/nyp
Un site d'information animé par le docteur E. Douglas Whitehead sur les dysfonctions sexuelles mâles et leur traitement.

www.zomm.com/personal/m-world
Un site de discussion sur la masturbation.

http://cancernet.nci.nih.gov/
Véritable mine d'or donnant accès au U.S. National Library of Medecine et autres sources américaines.

http://messel.emse.fr/~dkarlin/sex.htm
Un site français vous donnant accès à 130 autres sites d'information sur la sexualité.

socserv2.mcmaster.ca/soc/courses/soc3k3e/stuweb/scott/cottm4.htm
Un site académique sur les aspects sociaux, culturels et physiques de la sexualité du 3ᵉ âge.

Publications et activités d'Option Santé

Les Éditions Option Santé, en collaboration avec divers organismes et associations, présentent régulièrement, partout au Québec et en Europe, différentes activités avec Yvon Dallaire comme animateur. Ces activités se présentent sous les formes suivantes :

- Conférences (1 à 3 heures) ;
- Déjeuners ou dîners-causeries ;
- Week-end de croissance pour couples ou individus sur le thème des relations homme-femme ;
- Vacances-détente à Villas Playa Sámara, Costa Rica (avec ou sans atelier de croissance).

Pour connaître les activités et les prochaines publications d'Option Santé, il suffit de nous faire parvenir vos coordonnées à l'adresse suivante : Les Éditions Option Santé, 675, Marguerite Bourgeoys, Québec (Québec) Canada G1S 3V8. Vous pouvez également nous les faire parvenir par Email à opsante@mlink.net ou nous les faxer au (418) 687-1166. Vous pouvez aussi consulter notre site internet : www.mlink.net/~opsante

J'aimerais être tenu au courant des prochaines activités et publications d'Option Santé. Voici mes coordonnées :

Nom : _____

Adresse : _____

Ville : _____ Code postal : _____

Tél. rés. : _____ Tél. bur. : _____

Courriel : _____

Réf. : Pour que le sexe ne meure pas (10k 06-99)

Chéri, Parle-Moi...

Un livre à lire en couple

Dix Règles Pour Faire Parler Un Homme

Si, malgré l'amour qui les lie, homme et femme ont de la difficulté à dialoguer, c'est que la femme envisage la communication en termes de liens intimes et d'expression émotive, alors que l'homme communique pour atteindre des objectifs précis et transmettre de l'information. Les hommes font des discours, les femmes échangent.

Pour améliorer la relation, le psychologue-sexologue Yvon Dallaire présente aux femmes dix règles efficaces qu'elles peuvent utiliser pour mieux comprendre l'univers masculin afin d'aider les hommes à mieux et plus communiquer ce qu'ils vivent intérieurement. De nombreux exemples concrets, pigés dans sa pratique professionnelle, illustrent chacune des règles. Ce livre permet aussi aux hommes de mieux se connaître et mieux comprendre le désir de communication de leurs partenaires féminines.

«Chéri, Parle-Moi!» est un livre qui tente de mettre fin à la guerre des sexes en proposant une meilleure connaissance et une meilleure acceptation de nos différences afin d'établir un lien intime et complice entre deux êtres qui veulent s'aimer.

144 pages   ISBN 2-9804174-4-0

S'aimer longtemps?

Un livre à lire en couple

L'homme et la femme peuvent-ils vivre ensemble?

«Il la réveilla d'un baiser. Elle le trouva charmant. Ils se marièrent et eurent de nombreux enfants. Ils vécurent heureux.» Malheureusement, les statistiques contredisent cette histoire: sur dix couples mariés, cinq divorceront, trois se résigneront et deux seulement auront la chance d'être, la plupart du temps, heureux. Pour le psychologue-sexologue Yvon Dallaire, cette situation n'est pas due à un manque d'amour ou une absence de bonne volonté des partenaires, mais plutôt à une méconnaissance de la psychologie de l'autre sexe et de la dynamique inhérente à toute vie de couple.

Ce livre ne présente pas ce que devrait être le couple idéal, mais plutôt le couple réel, tel qu'il est vécu dans la vie quotidienne. Vingt chapitres sur l'amour, la sexualité, les différences entre les hommes et les femmes, la séduction, la dépendance affective… Il dédramatise les conflits conjugaux et offre des moyens concrets pour améliorer l'équilibre dans le couple. Pour que votre histoire d'amour ne finisse pas là où la vraie vie commence!

192 pages   ISBN 2-9804174-2-4
Disponible également en vidéocassette 90 min. (Canada seulement)
aux Éditions Option Santé

Psychologie sexuelle

Une approche expérientielle

Recueils d'exercices I et II

Ces deux recueils d'exercices sont dédiés aux animateurs d'ateliers ou de cours sur la sexualité, mais s'adressent également à ceux et celles qui voudraient, de façon autodidacte, faire une réflexion sur leur sexualité et celle de leur partenaire. Chaque exercice comprend les objectifs de l'exercice, le rationnel sous-jacent, la procédure détaillée à suivre et le matériel nécessaire.

Les thèmes abordés: la mise en train; la physiologie sexuelle; le développement psychosexuel; les rôles sexuels; les attitudes et valeurs sexuelles; les techniques corporelles et les dimensions non verbales de la communication sexuelle; le comportement sexuel; le mariage et le couple; l'éducation sexuelle; la contraception et l'avortement.

275 pages (Format 8.5 x 11)   ISBN 2-9804174-7-5
Disponible seulement aux Éditions Option Santé
675, Marguerite Bourgeoys, Québec (Québec) Canada G1S 3V8

La masturbation

La réponse à toutes vos questions

La masturbation, le dernier des tabous

Ce livre constitue l'adaptation de la thèse présentée par Yvon Dallaire pour l'obtention de sa maîtrise en Psychologie de l'Université Laval. Contenu : La définition de la masturbation. Son rôle dans le développement psychosexuel. Fantasmes et masturbation. Les causes de la masturbation. Les facteurs qui influencent la masturbation. Les circonstances de la masturbation. Différentes statistiques. Une analyse historique. Les avantages et les dangers de la masturbation. Les attitudes face à la masturbation. Les sept (7) fonctions de la masturbation.

Une étude exhaustive de tout ce qui touche à la masturbation.

194 pages (Format 8.5 x 11)   ISBN 2-9804174-5-9
Disponible seulement aux Éditions Option Santé
675, Marguerite Bourgeoys, Québec (Québec) Canada G1S 3V8

La massothérapie

Une carrière au bout de vos doigts

Un guide complet et pratique

Ce livre inestimable contient des idées et des ressources qui guideront les étudiants de façon efficace vers l'atteinte de leurs objectifs de formation et de carrière en massothérapie. Martin Ashley a su livrer l'essentiel d'une nouvelle profession riche de promesses. Parce que ce livre contient tout ce qu'un massothérapeute doit savoir, il permettra d'économiser énergie, temps et argent à tous ceux et celles qui le consulteront. Il simplifiera votre apprentissage, accélérera votre carrière, vous guidera dans vos réflexions et vous évitera de faire les mêmes erreurs que vos prédécesseurs.

Martin Ashley est avocat, professeur et massothérapeute. Ce livre est la synthèse de son expérience pratique en massage, de sa compréhension des aspects légaux, politiques et professionnels du massage et de la sagesse des dizaines de massothérapeutes qu'il a interviewés. L'adaptation québécoise contient plus de 250 adresses.

260 pages   ISBN 2-9804174-0-8
Disponible dans toutes les bonnes librairies (Québec seulement)

Shiatsu et psychothérapie

Formation professionnelle

Un esprit sain dans un corps sain

Tout au long de ces pages, le psychologue Yvon Dallaire et la massothérapeute Renée Bérubé démontrent le lien existant entre, d'un côté, l'aspect technique du massage shiatsu et, de l'autre côté, la dimension psychologique reliée à la partie du corps massée tout en insistant sur l'importance des attitudes du donneur et du receveur afin d'augmenter l'efficacité du massage shiatsu. Basé sur les principes de l'acupuncture et la philosophie orientale, le shiatsu constitue une excellente thérapie anti-stress physique et psychologique.

Contenu: Les principes théoriques et pratiques du shiatsu. Le massage shiatsu de base. Manoeuvres spécifiques. La philosophie orientale.

150 pages   ISBN 2-9804174-1-6
Disponible seulement aux Éditions Option Santé
675, Marguerite Bourgeoys, Québec (Québec) Canada G1S 3V8

Asthme et acupuncture

Comment le vaincre par l'acupuncture

Une médecine millénaire

Présentation par l'acupuncteur Huy Nguyen d'une technique éprouvée afin de mettre un terme à tous les problèmes d'asthme en quelques semaines seulement. Collaboration: Institut de Recherche en Acupuncture du Québec. 1997.

104 pages   ISBN 2-9804174-3-2

Aussi disponible *Migraine et acupuncture, Comment le vaincre par l'acupuncture* par Nguyen Huy et Gilles Mecteau, acupuncteurs. Présentation d'une technique éprouvée afin de mettre un terme à tous les problèmes de migraine en quelques semaines seulement. Collaboration: Institut de Recherche en Acupuncture du Québec. 1996.

76 pages   ISBN 2-922598-00-4

Disponible aux Éditions Option Santé, 675, Marguerite Bourgeoys, Québec (Québec) Canada G1S 3V8 et chez D.G. Diffusion, 6, rue Jeanbernat, 31000 Toulouse, France.

**L'auteur serait heureux d'avoir
des nouvelles de ses lecteurs !**
Si ce livre vous a aidé d'une manière
quelconque, si vous avez des questions
ou des commentaires, n'hésitez pas à lui
écrire à l'adresse suivante :
Les Éditions Option Santé
675, Marguerite Bourgeoys,
Québec (Québec) Canada G1S 3V8
ou par courriel :
opsante@mlink.net

Rédigé lors de séjours à
Villas Playa Sámara, Costa Rica
1998-1999